Querido
Escorpión

BENITO TAIBO

Querido
Escorpión

Planeta

Diseño de portada: Javier Alcaraz / elcerezo

© 2013, Benito Taibo

Derechos reservados

© 2013, Editorial Planeta Mexicana, S.A. de C.V.
Bajo el sello editorial PLANETA M.R.
Avenida Presidente Masarik núm. 111, 2o. piso
Colonia Chapultepec Morales
C.P. 11570, México, D.F.
www.editorialplaneta.com.mx

Primera edición: abril de 2013
ISBN: 978-607-07-1604-1

Impreso en los talleres de Litográfica Ingramex, S.A. de C.V.
Centeno núm. 162, colonia Granjas Esmeralda, México, D.F
Impreso y hecho en México - *Printed and made in Mexico*

*Para Imelda, porque donde ella esté,
está el paraíso.*

*Para mis carnales y mis amigos,
por haberme salvado la vida tantas veces.*

—¿Cuántos trabajadores irán a la huelga?
—Toda la fábrica. Unos tres mil.
—Que los fusilen a todos. No quiero que haya obreros insatisfechos.

CHARLES CHAPLIN, *El gran dictador*

♏

Un gorrión se ha estrellado en la ventana.

Ese es un mal presagio, mírese por donde se mire.

El *Supremo Conductor Nacional* lo vio venir desde lejos, aleteando a toda velocidad.

Un hilillo de sangre es todo lo que ahora queda en el vidrio.

Oye sin escuchar al hombre de traje negro y horrorosa corbata azul celeste que le habla de las proyecciones petroleras. Podría pensarse que es el único en la habitación que se dio cuenta, pero no puede perder la compostura: quien maneja un país no puede darse el lujo de parecer débil, ni siquiera ante la inminencia de la catástrofe.

Una solitaria gota de sudor frío corre por su cuello.

Impaciente, con esos ojos de hielo que lo han hecho famoso, mira al director de la empresa petrolera. Este se da cuenta y súbitamente detiene su perorata; se levanta y le estrecha la mano firme, marcialmente. Los dos coroneles del Estado Mayor que siempre están a su espalda acompañan al hombre hasta la puerta y salen juntos, no sin antes entrechocar los talones sonoramente.

El *Supremo Conductor Nacional* por fin se ha quedado solo. Le tiembla la mano derecha, que busca y rebusca algo en el cajón del escritorio de caoba.

Al fin, aprisionado con esa fuerza única como la que se usa cuando uno se sostiene a la tabla en medio del naufragio, encierra en la palma lo que por fin ha encontrado; después de un par de pases, deja caer sobre la pulida superficie de la mesa las tres blancas conchas marinas, que terminan muy juntas y a un lado de una orden de ejecución que todavía no ha firmado.

Las mira atentamente. Las estudia como si fueran pequeños seres vivos que le mostraran un mensaje esclarecedor.

Pasan un par de interminables minutos.

El Supremo Conductor Nacional suspira aliviado. La gota de sudor frío se ha secado mágicamente en su cuello; aparece en la comisura de sus labios un esbozo de sonrisa.

Toma la pluma de oro de veinticuatro quilates, regalo del presidente de Haití, y estampa su firma sobre el decreto.

Un hombre terminará sus días en el paredón, uno que no conoce siquiera, pero no importa. Las conchas le dicen que no importa; aunque ese imbécil gorrión haya perdido el rumbo. Tiene mucho por hacer. El temblor de la mano ha desaparecido definitivamente.

1

Derramar el café sobre la mesa del jefe de redacción trae por lo menos siete años de mala suerte.

O eso dice Saturna, que sabe de estas cosas y lleva en el periódico toda la vida. La cabrona mira divertida cómo intento infructuosamente, con una servilleta, hacer que el líquido marrón no llegue hasta la línea privada que comunica en exclusiva con la Dirección General.

Yo tengo la culpa. Yo y esos desplantes ridículos de gran señor que tengo y que me llevaron a sentarme donde no debía para aparentar ser quien no soy.

El café sobre la mesa de caoba hace meandros cada vez más rápidos e inaccesibles. Se cuela entre la máquina de escribir y la pequeña figura metálica de Marilyn Monroe; esa que recrea la escena donde ella aplaca su vestido blanco sobre la corriente de aire que sale de las rejillas del metro, y que insiste en querer mostrar sus bragas a la posteridad.

Por otro lado, un hilillo tenaz de líquido avanza decididamente sobre el diccionario de sinónimos. Si quito la servilleta de papel, que como un dique ha impedido el desastre, en segundos el café hará de las suyas sobre el libro y mi cabeza caerá al cesto después de que Ferreira, con una sonrisa, haga accionar la palanca de la guillotina que lleva consigo a todas partes.

Miro hacia una y otra posible catástrofe, sopesando el tamaño de la desgracia y no me decido, más bien me quedo inmóvil, como un perfecto imbécil, mirando cómo avanza en forma de café mi destino.

Saturna, con un cigarrillo entre los labios, dice «Quita, inútil» y con una mano repleta de uñas pintadas de rojo sangre levanta el teléfono y con la otra el diccionario.

Tomo unas cuantas cuartillas y las pongo sobre la mesa; al instante se tornan marrones. La ceniza del cigarrillo de Saturna crece sin caerse mientras sostiene teléfono y libro y mira impaciente mi torpeza para las cosas domésticas, que hoy más que nunca ha quedado de manifiesto.

Pero a pesar de todo y de mí mismo lo logro. Y eso que era un café corto, lo que en Colombia llamarían un «tintico»; menos mal que no puse una gaseosa sobre la mesa cuando levanté los pies para saber qué se sentía ser el jefe, ese jefe que constantemente los sube y que recibe a todos, tirios y troyanos, repantigado en el asiento, con las piernas cruzadas y los zapatones de suelas de cuero sobre la caoba.

Tengo en las manos una apelmazada mezcla de celulosa y café que empieza a gotearme en los pantalones. Saturna mira la mesa y deposita los artículos de un solo golpe en el lugar donde estaban antes de mi burrada, toma el cigarrillo con una mano de pulseras tintineantes, y sin que caiga una brizna de ceniza lo aplasta contra el cenicero de latón que dice *Canaima Cruises*.

—¿Tú has mirado películas de los Hermanos Marx? —me pregunta con esa forma en que solo ella sabe hacerlo.

—Sí, claro —digo, buscando con la vista el cesto de papeles que no se vislumbra por ningún sitio.

—¡Coño, viejo! ¡Igual, igual! —y se carcajea como una vieja cotorra, subiendo y bajando la cabeza.

El papel comienza a deshacerse. Salgo de la oficina y voy corriendo hasta el baño de caballeros a tirar el revoltijo que traigo entre las manos.

Detrás escucho las carcajadas de Saturna mientras corro por el pasillo.

Esa misma noche, la vieja cotorra moriría de un súbito infarto masivo, y yo heredaría la sección de «Horóscopos» de *El Faro del Caribe, Diario de las Américas desde 1855.*

Para mi puñetera desgracia.

2

Saturna no se llamaba Saturna.

Según leí en el acta de defunción, era mucho peor: María Magdalena Engracia Concepción del Espíritu Santo Rocha Díaz, nacida en Calambrí el 8 de enero de 1928. Entiendo el cambio. Y ahora entiendo también por qué firmaba así sus columnas: Saturno es el planeta que rige su signo, Capricornio; los antiguos lo llamaban «el Gran Maléfico», ese dios triste y ávido de poder que devoraba ferozmente a sus hijos.

Yo vi, más de una vez, en los cinco años que llevo en *El Faro*, cómo Saturna devoraba a los hijos de otros; con sus aires de vieja princesa eslava, pelo teñido de un imposible rubio, estolas de mink que se apelmazaban con los cuarenta grados a la sombra habituales en esta tierra, vestidos de lamé pasados de moda pero refulgentes y atrabiliarios con los que se paseaba al lado de sus presas por el malecón, en el descapotable negro que la haría incluso más famosa que sus inciertas predicciones.

Se llevaba a los muchachos, como deben llevar los gatos a los ratones, hasta la Quinta del Mar, la casa que coronaba el cerro de Coramar, inmensa mansión heredada de un amante, supuesto vizconde español, y que quedaba por encima de todas las edificaciones de la bahía, donde los utilizaba para prácticas sexuales indignas y de altísimo riesgo, y a la mañana siguiente, como un desperdicio más, los tiraba a la basura.

Ninguno de los que subía al descapotable debía tener arriba de diecinueve años. Ninguno volvía a ser el mismo después de pasar una noche con «Coña Saturna», como la llamaban maledicentes y nunca en voz alta en los corrillos de nuestra depauperada sociedad tropical, ávida de noticias esperpénticas que brindaran aires nuevos y refrescantes para mitigar un poco el sofoco perpetuo en que nos hallamos sumidos desde siempre.

Los muchachos nunca decían ni una palabra de lo vivido en la Quinta del Mar, no se sabe si por miedo a las posibles represalias o sencillamente por pudor.

Alguna vez, en un bar de la avenida Siete, un hombre cacarizo, de pelo ensortijado y negro, de modos campechanos, bebido hasta la náusea, mencionó algo sobre animales y rituales satánicos. Lo dijo de paso, como no queriendo, un poco en broma; los amigos de guayaberas manchadas con aceite de motor y sombreros de palma con agujeros dieron un paso atrás al unísono, como si lo hubieran ensayado en una de esas zarzuelas que ponen en el Teatro Real.

El cacarizo amaneció muerto en los muelles con los ojos en blanco, un rictus de terror en la quijada y sin una sola herida visible en el cuerpo.

En el bar nunca se dijo ni una palabra más al respecto.

Saturna escribía los horóscopos por gusto, como una mera distracción; no necesitaba ese sobre de papel blanco con su nombre impreso que yo cada semana recogía, junto con el mío, mucho más delgado, en la pagaduría del periódico. Tenía la concesión de tres de las gasolineras de la isla, la Quinta, el descapotable y una sed insaciable de juventud que solo aminoraba devorando jovencitos, o yéndose a beber rones —que siempre pagaba sacando billetes de su bolso de piel de jaguar— con personas como yo, demasiado mayores para la acrobacia sexual, pero de garganta aventurera y de charla larga y picante.

El sobre con su dinero se terminaba la noche del mismo viernes en que lo recibía. Yo, prudentemente, antes de las francachelas dejaba el mío bajo el colchón del departamento de una sola estancia a espaldas del diario, y gracias a eso podía pagar la renta, la luz, las viandas escasas que llevaba hasta la mesa donde comía solo y mi alma todas las noches al terminar el turno en la redacción. A veces, por milagro sobraba algo y deambulaba como un náufrago entre los tenderetes que se ponían en la Plaza Mayor, buscando algún libro bueno y barato que saciara mi otra sed, la de aventura y conocimiento, no siempre con buenos resultados, o porque no encontraba nada nuevo, o porque los mercachifles pedían precios exorbitantes por ellos. En ocasiones, sin libro, me sentaba en el Náutico, en una de esas mesas que dan a la calle, y comía todo lo bien que merecía como compensación a todo lo mal que lo había hecho tantas veces; hasta de un par de cervezas me daba el lujo, viendo pasar a las señoritas de alta sociedad que no me dirigían siquiera una mirada ni, por supuesto, la palabra. El resto del domingo, esas tardes soleadas, lustrosas, de viento de poniente, veía irse los barcos, y un trozo de mí se iba con cada bandera panameña, granadina, mexicana, a otras tierras donde no hubiera brujas ni dragones como esos que abundan en la que me tocó, y a la que por ningún motivo me resigno.

Apuntes para contar una isla

La isla fue conquistada por los españoles en 1586; será que de tan escondida no la habían visto antes. Llegaron a principios de la primavera en tres enormes galeones con caballos, cañones, cerdos, algunos curas, y antes de un año no quedaba uno solo de los habitantes originarios de la región. Nada de mestizaje ni de *sincretismo* cultural: una degollina hecha y derecha. Por eso nos llaman «blancos del Caribe», descendientes directos de esos asturianos, extremeños y gallegos que llegaron con la espada desenvainada a reclamar sin resistencias este trozo verde sobre azul celeste. La duda que muchos tienen y que nadie aclara, ni nuestros más sesudos cronistas e historiadores, es: ¿cuántas mujeres venían en los galeones? Porque si eran muy pocas, todos seríamos parientes de alguna u otra manera, y eso de tener la misma sangre que el jefe de la policía no es algo que a muchos les llene de alegría.

Mientras tanto, la isla creció.

Mentira, se quedó del mismo tamaño; las que crecieron fueron las ciudades y las flotas pesqueras y los ingenios y las pulperías, y se trazaron caminos, se trocharon selvas enteras, se descubrieron en sus dos cordilleras oro, plata, estaño. Pero para lograrlo, hubieron de traer barcos y barcos de indígenas importados de la Nueva España y de esclavos negros vendidos por los traficantes lusos, para contar con esa mano de obra que hiciera catedrales, haciendas, calzadas, drenajes, para que cuidara el ganado, aderezara jardines, cocinara, barriera las calles. Se dieron cuenta de que no había sido tan buena idea exterminar a los primeros pobladores, porque el progreso tardó en llegar mucho más que en el resto de las Américas.

Vinieron más emigrantes españoles, portugueses, un par de despistados vieneses, algunos chinos que rápidamente condimentaron con especias y aromas nuestras hasta entonces insípidas comidas locales.

Los habitantes de esta isla pródiga, al ver que la riqueza y la fortuna les sonreían, aunque fuera de modo indirecto, instauraron el primer deporte nacional. Cobijados por las noches estrelladas, el murmullo de las aguas cristalinas y apacibles, las blancas y doradas arenas de sus playas, las jugosas frutas que estaban al alcance de la mano, se pusieron, ahora sí libres de obligaciones, a fornicar como conejos, y lo que creció, súbita, exponencialmente, fue la población; las calles adoquinadas vieron pasar entonces ejércitos enteros de carriolas importadas del continente que contenían a los futuros prohombres y prohembras de esa patria nueva que iba, acompañada por rasgueos de arpas y guitarritas, encontrando su rincón en el mundo.

Y por supuesto, ante la inminencia de la oferta y la demanda, comenzaron a nacer también mestizos y mulatos que fueron haciendo sus propios pequeños asentamientos en los alrededores de las ciudades.

Hubo que bautizar a esta tierra, pero los nombres buenos estaban casi todos ocupados. Después de decenas de reuniones, discursos, argumentos gritados a voz en cuello, se optó por llamarla «Nueva Arcadia» en honor a esa región griega del Peloponeso. El mismo día en que se empaquetaban las cartas credenciales para ser enviadas a la Real Audiencia de España, uno de los viejos colonizadores, con un libro bajo el brazo, demostró fehacientemente que «Arcadia» significaba «Tierra de osos» y que llamar así a la isla, donde no había uno solo de esos peludos plantígrados, era un sinsentido descomunal.

Tuvieron que pasar cinco años más de agrias discusiones. El viejo colonizador murió de influenza y en cuanto se echó la última paletada de tierra sobre su tumba, donde también enterraron el libro maldito que llevaba a todos lados, Arcadia se quedó para siempre; no la tierra de osos sino esa otra Arcadia, territorio mítico al que cantaba Virgilio en sus *Bucólicas*, donde el tiempo transcurría en paz en un ambiente idílico. Hubo incluso algún valiente que se atrevió a sugerir nombrar al tal Virgilio como poeta nacional, pero las miradas iracundas de ciertos influyentes eruditos locales lo hicieron caer pronto en el olvido.

La catedral se inauguró hasta entrado el año de 1700. El obispo de la lejana Habana vino a hacer los honores y bautizó en masa a una nueva generación de arcadianos, algunos de los cuales entraron caminando al amplio y marmóreo recinto, pues sus padres esperaron la ocasión solemne y no dejaron que los franciscanos sin lustre de la isla echaran por encima de sus cabezas el agua bendita que le diera la bienvenida a la grey católica, apostólica y romana a la que por designio divino y de Su Majestad el Rey pertenecían todos los isleños sin excepción.

Setenta varones y cuarenta y seis niñas renunciaron al pecado original. Se dice que el obispo sudaba copiosamente bajo su refulgente y pesada mitra; será que la única entrada de aire podría haber venido de la enorme puerta de madera, que estaba cerrada. Los constructores de la catedral, inspirándose en la de Burgos pero a escala caribeña, olvidaron poner ventanas o respiraderos, y desde siempre la catedral es un horno hecho y derecho.

El caso es que el agua bendita del bautizo que caía sobre las frentes de los infantes se mezclaba constantemente con el sudor del señor obispo, el cual, se descubrió después, no era tan santo ni tan puro como se decía, así que esa generación de arcadianos, muchos Virgilios y muchas Marías entre ellos, llegaron a la comunidad con un estigma que tiempo después se revelaría con el primer trágico alzamiento de que se tuviera noticia en Arcadia. Desde 1745 ya no se bautiza a nadie en la catedral: siempre se hace afuera, en el atrio, al aire libre, para impedir que sudores impíos se mezclen con el agua bendita.

Y junto con la catedral llegó el primer huracán, al que nadie se le ocurrió ponerle nombre de lo ocupados que andaban todos escondiendo a las gallinas, amarrando a las vacas y los cerdos, subiendo el grano a las buhardillas para evitar que el agua salada lo corrompiera para siempre, pero sobre todo rezando como locos para que esos vientos que arrancaban de cuajo las palmeras, que cambiaban el curso de los ríos, que desgajaban cerros enteros, no se los llevaran también a ellos volando por los aires.

Solo hubo un muerto: un fraile gordo y gruñón al que le cayó en la cabeza la gárgola que remataría una de las esquinas de la catedral, y que todavía no había sido fijada por los canteros llegados desde Santo Domingo. Perdió la vida pero ganó un lugar en la historia de la isla mediante una placa de mármol donde pusieron su nombre cuando el desastre se hubo contenido: Plaza Fray Luis de Buñuel. Tiempo después, sería el lugar que elegirían los dominicos para erigir el quemadero público encomendado por la Santa Inquisición.

Un año sí y otro no, vuelven los huracanes. Las viejas dicen que no son fenómenos aislados; que siempre es el mismo meteoro del siglo XVIII, que se repliega durante doce meses al oriente del golfo de México a tomar fuerzas para llegar un día finalmente a destruir la isla. Lo cierto es que cada vez es más fuerte y poderoso, y que nadie se atreve a llamarlo con un nombre de mujer.

3

Yo soy un ser extraño.

Aunque nadie lo note.

Le tengo demasiada confianza a la gente y constantemente me decepciona. Y a pesar de ser decepcionado, le sigo teniendo demasiada confianza a la gente.

Será que no creo en la maldad como una cualidad intrínseca del ser humano sino más bien como algo aprendido, algo que se va madurando por circunstancias ajenas a la propia voluntad. Y esto no significa que sea un buen cristiano y me dedique a poner siempre la otra mejilla, porque la tendría púrpura de tantas bofetadas; simplemente me cuesta demasiado trabajo guardar rencor, tengo una inmensa capacidad para el olvido. Tanto así, que por la tarde ya olvidé los agravios hechos por la mañana.

Me gusta llegar temprano a la redacción; antes de las once. Casi no hay nadie y puedo escribir en cierta paz. Reviso los cables de noticias buscando algo que alimente mi sección cultural, que de sección solo tiene el nombre porque en realidad es un cuarto de plana escondido en el pliego de «Sociales». Llevo meses peleando para que la enmarquen con líneas punteadas y que lleve en grandes caracteres el nombre CULTURA, para que la gente pueda identificarla fácilmente, pero Ferreira se resiste: dice que de por sí es una concesión del dueño, y que existe solo porque su mujer (la del dueño) se siente artista y pinta unos cuadros horrorosos y muy tropicales. Que en caso contrario, ese espacio diario de lunes a sábado sería utilizado para notas más «productivas» como bailes de quince años y reseñas de bodas, que son pagadas con dinero contante y sonante que no pasa por ninguna contabilidad oficial y que enriquece las arcas del dueño, el director y el jefe de redacción, a los que yo llamo «Los tres jinetes del Apocalipsis». Logré, eso sí, que siempre esté en el mismo sitio, la octava y última página, en la esquina de abajo a la derecha. Cada tercer día escribo una columna sobre los aconteceres culturales de la isla, estrenos de películas, inauguraciones de exposiciones, recitales de poesía; he ganado cierto prestigio entre la comunidad, algunos historiadores, cronistas, pintores y poetas incluso ya hablan de mí en el café de la Zona Bohemia, media calle que quiere ser la Rive Gauche parisina sin lograrlo, y me citan con familiaridad a pesar de que no me conocen. Es la única sección cultural que no es tal pero que existe, pese a todo, en nuestro pequeño aunque inflamado y patriótico paisito de odas esmeraldas y reseñas heroicas de batallas perdidas.

Después de revisar que no haya muerto ninguna vaca sagrada de la literatura (lo primero que siempre hago y no por ello me considero necrófilo en lo absoluto) elijo alguna noticia internacional pequeña con la que siempre abro la sección, solo para demostrarle al mundo que estamos enterados de todo y que no por vivir en este lugar alejado de las grandes civilizaciones y de la mano de Dios, lo humano alguna vez nos resultará ajeno.

Tardo no más de media hora en este trámite. Solo tenemos una fuente de noticias, los despachos de *Prensa del Caribe* que retoman y tropicalizan, como si nadie se diera cuenta, las de las grandes cadenas internacionales. Tenemos un retraso de doce horas en recibir las noticias porque los cables llegan primero al Ministerio de Información y de allí, debidamente censurados, son redirigidos a nuestra redacción. Siempre pienso que el censor, un puesto muy importante y que de modo eufemístico tiene la denominación oficial de director general de Libertad de Expresión, no ha leído jamás uno de los textos recortados por sus cancerberos y que han llegado a extremos tales que rayan en lo ridículo: cada vez que un líder comunista hace una declaración, ellos celosamente borran el nombre del caudillo, del país, las referencias marxistas-leninistas, hasta acabar con casi todo. Llegó una vez un cable, que guardo en casa, donde se trataba de dar cuenta de unas declaraciones del comandante Castro durante su comparecencia en la ONU; de tan recortado que estaba, solo quedaban la fecha y el lugar, y nada más.

El mundo, para estas intrépidas personas que algún día me gustaría conocer, es pequeñito, color de rosa y en él no existe la disidencia en el pensar o el actuar: tan solo el designio del Infalible, nuestro Supremo Conductor Nacional.

Con mi café recién colado en la mano veo cómo van llegando, poco a poco, los compañeros a la redacción: don Justo, el encargado de «Deportes», con su infaltable sombrero panamá; Mario, el redactor de «Sucesos» (una forma digna de llamar a la sección policiaca) que una vez más viene con la resaca a cuestas; Armida Montellano-Paz, la jefa de «Sociales», hija de la nobleza isleña que en un juzgado se hizo del guion que lleva en el nombre para parecer que tiene, como los europeos, un apellido doble de lustre y prosapia. Ya abrió también su oficina Vorhauer, ese bonachón descendiente de prusianos que se encarga de la parte comercial del diario, de la sección de «Clasificados», de las suscripciones y de hacer que esto sea una mina de oro inagotable.

En la redacción no somos más de treinta en total entre reporteros, fotógrafos, secretarias, ayudantes y jefes, y hay más *jefes* que periodistas: por eso algunos escriben tres o cuatro notas al día de fuentes diversas, saltando de bodas a asesinatos rastreros en los muelles, a discursos interminables en Palacio, a carreras de yates o torneos de pesca; si no hiciéramos de todo, nadie haría nada.

Ferreira es el último en llegar. Es cierto que también es el último que se va, a eso de las dos de la mañana, con el primer periódico que sale de la rotativa, caliente, entre las manos, oliendo a tinta fresca y a deber cumplido. Tiramos diez mil ejemplares que se agotan durante las primeras horas del día: quinientos van en bicicletas directamente a Palacio, los ministerios y las embajadas, el resto se distribuye en todos los rincones del país y llega a todos lados antes de que el sol se clave en la mitad del cielo sobre nuestras cabezas.

Tenemos suerte de ser el único periódico de la isla, y de que la isla sea pequeña.

Estoy comenzando a escribir la reseña del último libro de nuestra gloria poética nacional cuando una sombra larga aparece por encima de mi Olivetti; no quiero mirar al propietario porque sé perfectamente de quién se trata.

Pero no me queda otra que escuchar su grave voz de sepulturero caribeño:

—Menéndez, te falta escribir los horóscopos de mañana —dice Ferreira, cantarín, susurrándome amigablemente al oído.

Y se me hace un nudo en la garganta.

No por la muerte repentina de Saturna, sino porque no tengo la más mínima idea de cómo se come esa seudociencia que se llama «Astrología».

¡Me cago en la madre de *Coña* Saturna!

4

El periodista se llama Timoteo Menéndez Llanura, hijo natural de María de las Mercedes Llanura Obregón y de un sargento de la marina estadounidense que llevaba una placa en el pecho que decía con claridad «Sgt. Menendez», así, sin acento, de nombre de pila desconocido, con domicilio en algún camarote del interior del destroyer *Ulysses S. Grant*, anclado en la bahía de San Virgilio, Arcadia, Caribe, América, durante los aciagos días de la invasión yanqui de octubre de 1944.

Algunos lo llaman «Timo», otros «Tim» por su ascendencia gringa no comprobada de modo fehaciente, y para los compañeros del periódico era y es sencillamente Menéndez.

De niño, como todos los de su barrio, Timoteo quería ser bombero, profesión noble como pocas y sobre todo vistosa: eso de andar en un carro bomba tirado por dos percherones blancos o negros que se turnaban en días pares e impares, vestido de rojo, con casco casi imperial de chapa dorada y con el número uno puesto en impecable color negro, era sin duda lucidor; el número se debía a que esa reliquia del pasado pertenecía a la primera estación de bomberos de la isla, la del centro. Los bomberos no solo tenían impermeables rojos, botas, pantalones con tirantes azules, sino que además las mujeres caían redondas a sus pies, y eso para el temperamento tropical de Timo y de todos los chiquillos del rumbo era mucho más importante que otra cosa.

Alguna vez un antiguo capitán del Cuerpo de Bomberos, de apellido Melecio, tuvo la ocurrencia —porque lo vio o lo leyó o lo soñó, nadie lo sabe— de adquirir y mandar traer desde Nueva Orleans un perro dálmata.

«No hay bomberos sin dálmata ni dálmata sin bomberos», dicen que decía muy serio, muy en su papel, cada vez que se tomaba una copa en uno de los bares de los portales que todavía sobreviven frente a la catedral, así que después de una larga travesía el perro llegó hasta Arcadia. El recibimiento que se le hizo en el muelle de pasajeros, no en los de carga, fue tumultuoso; en el periódico del día, las ocho columnas desaparecieron por completo y solo se leía en negros e inmensos caracteres: «¡HOY LLEGA!» La banda municipal lo recibió con una marcha dedicada en su honor compuesta por Félix Zuloaga, el mismo que hizo nuestro himno nacional: la hoy ya famosísima *Marcha dálmata*, llena de sonoros clarines, trompetas victoriosas y multitudinarios parches y metales, que se alzó a los cuatro vientos mientras el cielo presagiaba tormenta. El alcalde subió al buque y bajó entre los brazos al aterrorizado perrillo blanco con manchas negras que en cuanto vio a los cientos de arcadianos que aplaudían a rabiar y tiraban sombreros al aire, se meó en el recién planchado y lavado chaleco de nuestro munícipe, quien haciendo una mueca bajó del barco por las escalinatas y se deshizo del animal poniéndolo violentamente en manos del capitán de bomberos; Melecio, previendo el momento de mayor gloria de su vida, lo alzó sobre su cabeza justo en el instante en que los cañones del faro lanzaban una salva. Entonces el perro dálmata cagó sobre el casco del bombero: un chorro interminable de caca líquida y amarillenta. Luego dijo el veterinario que se había descompuesto durante el viaje, pero lo cierto es que el perro tendría cagalera el resto de su corta pero intensa vida.

En cuanto estuvo instalado en el cuartel, se negó de plano a comer lo que ponían en su plato: leche, chuletas, huesos, chorizo, estofado, gallina en ajiaco. Tres días pasaron en que solo bebía agua y cagaba por todas partes a pesar de no tener nada en el estómago. Desesperado, Melecio le puso en el suelo una tajada de mango y ¡milagro!, de dos súbitas tarascadas se lo manducó con piel y todo.

—Coño, viejo, ¡el dálmata es vegetariano! —decía el capitán sorprendido a compañeros y vecinos.

Y el dálmata, que nunca tuvo nombre y era llamado tan solo «dálmata», comió a partir de entonces yuca, mangos, papayas, plátanos, guanábanas, guayabas, con fruición y deleite inigualables. Había que tenerlo amarrado con una correa al carro de bomberos, porque al menor descuido escapaba hasta el mercado vecino y se hartaba de frutas y verduras que caían al suelo, haciendo que la diarrea fuera más larga y contumaz que de costumbre, y acababa invariablemente perseguido a escobazos por los locatarios que siempre pretendían que Melecio pagara por los productos consumidos. El bombero encargado de la limpieza del cuartel, harto de ir con un balde de agua y trapeador fregando por todos lados las gracias de la mascota y emblema, lanzó un ultimátum:

—¡El puto perro, o yo! —dijo.

Y el perro se quedó.

No era el dálmata el mejor símbolo de la heroicidad bombera: mordía a conocidos y extraños por igual, perseguía gallinas a las que mataba hincándoles los dientes en el cuello, y luego las despreciaba olímpicamente como fuente probable de proteínas; destrozaba todas las camisetas y calzoncillos que quedaban a su paso y ladraba con furia a aquellos que midieran menos de un metro veinte, sin distinción de sexo o edad.

Esencialmente, el perro era una pesadilla.

Murió en el incendio de la tienda departamental La Gloria a principios de los años cincuenta; tenía cinco o seis años de edad. Mientras los bomberos luchaban con las llamas que consumían voraces toda la estructura de madera del local, el dálmata, arrancando el lazo que lo unía al carro bomba, se precipitó al interior del infierno, y ni siquiera sus huesos pudieron ser recuperados para darle un entierro digno. Las versiones más heroicas refieren que lo hizo porque escuchó el llanto de un niño en el interior de la hecatombe; otros, que vio al fondo de las lengüeteadas de fuego un racimo enorme de plátanos maduros. Nadie lo sabe a ciencia cierta.

Queda del dálmata apenas la escultura en bronce de tamaño natural que está puesta sobre la acera en la puerta del cuartel y que estorba a todo mundo. Jamás los bomberos volvieron a tener perro.

Mientras crecía, Timo vio cómo los avances tecnológicos traídos del continente —carros hidráulicos, alarmas, extintores de última generación, construcciones de ladrillo más resistentes al fuego— le fueron restando importancia al hasta entonces ilustre cuerpo de *tragafuegos*, que se quedó con el viejo carricoche de percherones como una pieza de museo en recuerdo de tiempos más gloriosos y heroicos. Así que decidió una tarde de esas en que el calor cae como una losa sobre las personas, en que moverse es un enorme sacrificio, que, como no podría ser admirado por apagar un incendio, por lo menos tendría la oportunidad de relatarlo, y la única manera de que todos se enteraran era registrarlo en el periódico; contar eso y todas las cosas extrañas que pasaban en la isla, que no eran pocas y que darían para páginas enteras. Al salir del secundario, se plantó frente a la enorme puerta de madera del periódico y esperó paciente a que apareciera por allí el hijo del dueño.

Después de una conversación corta pero sustanciosa, sonriendo de oreja a oreja y aplacando el flequillo rubio que le caía sobre los ojos, entró como mensajero ese mismo día y tuvo como primer encargo llevarle una cesta con comida a una mujer mulata y bellísima que no era la esposa del contratante, sino otra. Eso haría todos los jueves durante meses, ganándose la confianza de don Gaspar, que poco a poco lo dejaba entrar un paso más cerca de la redacción y hacer encargos más dignos como colar el café, llevar cuartillas blancas a los reporteros, traer cigarrillos y rones a escondidas, y de vez en cuando quedarse a ver cómo la chirriante rotativa, con un estruendo de cadenas y placas metálicas, iba sacando, por un extremo, el recuento en papel de maravillas y desgracias sucedidas en el pequeño e insólito país donde había tenido la fortuna de nacer.

Sería entonces lo que hoy ya es, periodista; y su refugio, *El Faro del Caribe*.

♏

El Supremo Conductor Nacional no confía ni en su sombra.

Mucho menos en las sombras de los demás. Andan por todos lados persiguiéndolo, acechándolo, asomándose entre los libros y los cuadros, surgiendo estremecedoras a la menor provocación.

Un houngan le dijo alguna vez que eran los espíritus de aquellos que había matado o mandado matar, y que vivían en las esquinas de las habitaciones.

El Supremo Conductor Nacional duerme tranquilo, como un bebé.

Su habitación es circular, redonda como el mundo.

5

—Política no. Definitivamente no. Es muy aburrido, o muy peligroso —le decía Saturna jugando con su pulsera de pequeñitas manos de madera llamadas «figas», traída de Portugal y que se suponía ahuyentaba el mal fario.

Se lo decía mirándolo directo a los ojos, como si fuera capaz de encontrar detrás de ellos, en algún perdido rincón de su cabeza, aquello que pudiera convertirse en su destino.

Y el jovencito aprendiz, que solo le había llevado un café con leche hasta su mesa de trabajo, evitaba, temblándole las piernas, quitarle la vista a esa mirada que daba un miedo del carajo. Estaba lleno de recelo, pero también de una enorme terquedad que no evadiría ni siquiera la aterradora mirada de Medusa: le daba lo mismo acabar convertido en piedra si con ello pudiera lograr su propósito de ser uno más de los redactores bullangueros, borrachines y llenos de prestigio de la isla.

Esa mujer era una institución; no había quien se atreviera a no cederle el paso cuando caminaba resuelta por los pasillos del periódico. Más de uno la escuchó gritar improperios a puerta cerrada al dueño por verdaderas nimiedades —por esa silla rota, esas cuartillas movidas de lugar, esa falta de ortografía que ella *no* puso, ¡coño!— y todos sin excepción oyeron el enorme silencio que el dueño siempre le daba por respuesta. Él también le tenía miedo, aunque por motivos diferentes que se sabrían hasta después de su muerte.

—Muchacho, solo quedan «Cultura» o «Sociedad», porque mientras no se jubile Justito, estás jodido si quieres escribir sobre deportes —dijo, y sin transición ni dar las gracias por el café ni mirarlo una sola vez más, la mujer volvió a hurgar en los papeles que tenía en el escritorio.

Todos sabían de la fama de Saturna y se acercaban a ella, o no, dependiendo de qué tanto estuvieran dispuestos a apostar, incluida el alma, para conseguir sus propósitos. Pero Timo solo quería aprender, y hubiera aprendido del mismísimo diablo si este trabajara en *El Faro del Caribe.*

—Tienes suerte de que no me gusten los rubios —explicaba Saturna y pasaba ese índice de uña enorme y roja por la bragueta del aprendiz, quien no se movía un ápice de su sitio.

—¿Cuántas palabras debe llevar un buen encabezado? —preguntaba él, inocentemente plantado en su sitio.

—Viejo, ¡tienes menos lujuria que san José! Cinco. Nunca más de cinco —la bruja hacía un gesto de disgusto con los labios fruncidos y volvía a teclear despacio para no romperse las uñas, dando así por terminada la conversación.

Timo lo apuntaba en la cabeza y por la noche, a la luz de la solitaria bombilla de su habitación, pasaba el dato pulcramente a la libreta de tapas negras, con letra minúscula pero clarísima, como si hubiera mucho por aprender y poco espacio para escribirlo.

Encabezado periodístico: de no más de cinco palabras. Evitar como a la peste los adjetivos. Jamás utilizar una frase negativa.

Desde que comenzó a trazar su propio manual de redacción, Saturna se había vuelto su guía en el intrincado vericueto de entender el oficio, porque el resto de los periodistas no le hacían ni puñetero caso; para ellos era solo un mensajero más y un potencial competidor, y a los competidores no se les brinda información privilegiada.

Pero la mujer era distinta: como aprendió sola, por diversión y no por necesidad, no tenía el más mínimo empacho en compartir lo sabido. Incluso, alguna de esas tardes muy caribeñas, de tormenta copiosa y torrencial pero corta como un regaderazo apresurado, Saturna le puso en las manos un libro pequeño, viejo y ajado: el *Manual de estilo de The New York Times*.

—Esta es la biblia, muchacho. Cuídalo como un tesoro; aquí dentro está todo lo que necesitas saber.

Timo se conmovió por primera vez en su vida. Estuvo a punto de abrazarla agradeciendo el obsequio pero se contuvo, no fuera a ser que ella lo malentendiera y pensara que detrás del inocente acto de gratitud había una implicación sexual. No quería ser devorado como tantos otros muchachitos que vagaban por el malecón con la vista perdida, pero sí le dio la mano, fuerte, enérgicamente, como se le da a un amigo al que se quiere.

Luego guardó el libro, envuelto con cuidado en papel de estraza y amarrado con un lazo, y lo puso al fondo del cajón donde tenía el azúcar y el café; nadie se asomaba por allí.

El resto del día lo hizo todo de manera apresurada y distraída, intentando comerse los minutos que faltaban para irse a casa y abrir el tesoro, ser asombrado por la preclaridad de otros que habían hecho del periodismo un acto heroico en el diario más importante del mundo.

Ni siquiera esperó a que se pusiera en marcha la rotativa, como hacía todas las noches; corrió como un loco, con el envoltorio aferrado contra el pecho con extremo cuidado, pero con vigor, como dicen que deben tomarse las espadas, con la fuerza necesaria para ejecutar un mandoble y la delicadeza del que sostiene en la mano un gorrión.

Sobre la mesa de su habitación, mientras afuera reverberaban truenos lejanos allende el horizonte, abrió el paquete.

Nunca antes había recibido un regalo, ni por Navidad; su madre sobrevivía vendiendo pescado en la plaza y los ingresos de ambos eran tan exiguos que apenas permitían ropa, calzado y comida.

Desenvolvió con esmero la estraza y la dobló para reciclarla después, igual que el lacito.

Abrió, entonces sí, el portento.

Y estaba en inglés.

—¡Me cago en la reputa leche de los anglosajones! —gritó Timo con todas sus fuerzas, asustando a un gato callejero que revolvía el tacho de basura fuera de la vivienda.

El inglés era idioma desconocido y misterioso; no entendía una sola palabra. Bueno, sí, sabía perfectamente bien qué era *The New York Times*, pero lo demás era un enigma.

Tenía un mapa del tesoro entre las manos y una barrera infranqueable en la cabeza.

Apuntes para contar una isla

El 1 de enero de 1790 nace en Arcadia Arturo Fung Long —hijo de pequineses emigrados, dueños de la única lavandería de la isla—, cuya estatua en impecable mármol de Carrara enmarca la góndola de entrada al Parque Independencia.

El cabildo municipal ha designado permanentemente a dos guardias armados con enormes mosquetones para que disparen a mansalva a cualquier paloma, gaviota, albatros o pelícano que ose aterrizar en la cabeza del prócer o se le ocurra cagarla. Los dos hombres se turnan desde una pequeña caseta amarilla, situada de manera estratégica bajo el único álamo de la isla, para vigilar con atención, ocho horas por turno, que las aves no profanen la efigie de uno de los heroicos hombres que nos dieron patria.

La cabeza de Fung Long ha sido puesta tres veces en su sitio: en 1895, 1911 y 1917, cuando se prohibió en definitiva que las armas estuvieran cargadas con balines de plomo. Desde entonces solo se utilizan salvas.

Las tres decapitaciones fueron accidentales, por supuesto. Mala puntería.

En el caso de 1911 hubo que hacer una nueva cabeza, pues la que sin ninguna gracia cayó se hizo añicos contra el suelo. El escultor italiano encargado de rehacerla se dio una pequeña licencia poética: en vez del rostro fiero y adusto de nuestro glorioso líder, puso una breve, maliciosa sonrisa entre sus labios; fue un escándalo mayúsculo, pero nadie se atrevió a cambiarla. Algunos dicen que el disparo del 17 no fue accidental, que el guardia del mosquetón fue pagado de modo abundante para que una noche sin luna apuntara a la sien del héroe y tres meses después, en un tiempo récord, la vieja expresión de mala leche coronó de nuevo el cuerpo esbelto y atlético del Padre de la Nación, que empuña un machete en la mano y un libro sin nombre en la otra.

«La razón y la fuerza.»

Ese es nuestro lema y grito de independencia, acuñado por Fung Long, que año con año repetimos jubilosos en las fiestas nacionales de mayo, cuando el calor es absolutamente insoportable.

Aburrido como ostra, cada día a las doce en punto uno de los guardias del parque sale de la caseta entre aplausos y muy ceremonioso dispara el viejo mosquetón al cielo, haciendo un estruendo inigualable mientras sale del artilugio una enorme vaharada de pólvora quemada: nuestra mayor atracción turística tal vez, junto con un par de cascadas y esos tiburones casi amaestrados que comen restos en el muelle Isabel desde los años cincuenta.

Para los Blancos del Caribe, tener un Padre de la Patria con rasgos asiáticos es poco menos que una patada en los huevos, pero las cosas son como son, y ante la imposibilidad de cambiar, hay que apechugar con lo que se tiene. Los más felices son los quinientos y pico de chinos que integran nuestra colonia oriental y que cada mayo llenan sus pequeños restaurantes y fumaderos clandestinos con banderitas y cromos coloridos que narran las gloriosas batallas del héroe; ellos son los que pagan los fuegos artificiales que pueden verse sobre la bahía la Noche de la República, todos sin excepción sonríen cuando estallan multicolores en el cielo y mientras tanto entrecierran los ojos un poco más de lo habitual, si cabe, para no perder detalle.

Arcadia, como dijimos antes, no se hizo de la noche a la mañana.

Fue una penosa, larga y ardua tarea esa de luchar contra los elementos para levantar una ciudad y un país entre el asfixiante calor, los huracanes, la selva que todo lo come y la sal que todo lo corroe. Pero habrá que decir que antes del cambio de siglo, entre el XVI y el XVII, ya se podía hablar de una patria en forma, con un puñado de grandes edificaciones: la residencia del capitán general, un teatro con balcones, palcos y plateas, un cuartel y, por supuesto, los magníficos muelles que, en pleno delirio con la fiebre del oro que se desató en 1678, estaban hechos íntegramente con maderas preciosas traídas desde la lejana África.

De allí en más, todo fue abundancia: minas, pesquerías, cultivos de caña de azúcar, cocotales y ganado cebú importado de la India que se adaptó rápidamente hicieron de Arcadia un pequeño y rico paraíso en la Tierra. Los habitantes de la mínima colonia vivían bajo las encomiendas que llegaban de tanto en tanto de ultramar vía Cuba con enorme retraso, nunca instrucciones directas, tan solo se repetía al pie de la letra lo que se mandaba en las otras islas del Caribe bajo dominio español.

Don Rafael Alcérreca, nombrado por la gracia de Su Majestad en un consejo de ilustres como capitán general de la Nueva Arcadia, supo de las cartas que convocaban solemnemente a todas las posesiones de ultramar a participar con demandas, ideas y saberes en las Cortes Extraordinarias y Constituyentes de Cádiz recién establecidas.

Se desarrollaron sesiones públicas en la plaza mayor y todos, hasta los niños, pudieron opinar sobre las bases que sentarían el futuro de la isla. Había, como en las propias Cortes de Cádiz, tres tendencias principales: los «absolutistas», que defendían el retorno de la monarquía y el reinado absoluto de la casa de Borbón, los «jovellanistas» (inspirados en el asturiano marqués de Jovellanos), que pugnaban por las reformas inspiradas en las propias cortes, pero no eran partidarios del carácter revolucionario de estas (en Arcadia, en son de broma los llamaban «los liberales-conservadores»), y por último los «liberales» de pura cepa que pensaban ir un paso más allá, tomando como ejemplo a la Revolución francesa. Se oyeron también algunas tímidas ideas sobre la independencia y la creación de un nuevo Estado nacional, pero romper de golpe con el pasado no iba en concordancia con la lentitud con que todo se movía en Arcadia. Un año duraron las discusiones que se prolongaban, café y rones en mano, hasta altas horas de la noche.

Alcérreca abordó la *Nuestra Señora de las Perlas*, fragata reluciente de tres palos, y vomitó a diario durante los cincuenta y tantos días de travesía, tiempo suficiente para tropicalizar, como solo un arcadiano sabe hacerlo, la propuesta que presentaría frente a las cortes.

Así, ataviado con sombrero de tres picos con un par de plumas de quetzal, para darle el toque exótico indispensable a un emisario del lejano Caribe, llegó a Cádiz el 11 de mayo de 1814 con un legajo de papeles bajo el brazo que hablaban sobre una monarquía liberal y constituyente pero absolutista que tomara bajo su protección a Arcadia como socio comercial y diplomático, aunque con parlamento y decisiones propias sobre bienes y personas.

En la cárcel se enteró de que Fernando VII había abolido las cortes y la Constitución una semana antes por medio del llamado «Decreto de Valencia».

Solo estuvo en presidio un par de meses, cuando por intermediación del capitán de la Guardia Imperial Rómulo de Mendizábal, al ver al pobre hombre tan absolutamente confundido, fue liberado y se le pidió que volviera a su tierra, esa Arcadia de la que nadie en Cádiz oyó hablar en la repajolera vida.

Tan solo había llegado un par de años tarde a una discusión que se zanjó por real decreto.

Así pasan las cosas en estas latitudes. Destino manifiesto.

♏

El Supremo Conductor Nacional va a misa todos los domingos.

Luego sale de catedral con su impecable uniforme blanco y dorado, y saluda de mano, muy familiarmente, a unos pocos escogidos por su Estado Mayor; a veces no sabe quiénes son, pero deben ser importantes para el destino de la patria. Hay una larga lista de espera para poder saludar al Jefe y más tarde enmarcar esa fotografía y tenerla en el recibidor o la sala de la casa, incluso hay quienes pagan por ese privilegio mucho dinero. El coronel Ramírez se encarga de recibir esos sobres llenos de dólares en su oficina; después de sacar un par de billetes de cada uno, los vuelve a cerrar con cuidado con goma arábiga, y los envía con un ordenanza a Palacio.

El Jefe va a misa porque la Constitución dice que Arcadia es un país católico, apostólico y romano, pero de todas las cosas en que cree, tal vez sea esta en la que menos fe deposita. Los milagros de los santos y las vírgenes son lentos y precisan de excesivo fervor, demasiado rezo, demasiada jaculatoria, y los intermediarios son todavía peores: curas viscosos y cínicos que andan toqueteando adolescentes y se atragantan en las comilonas. Prefiere sin duda a los orishas, esos dioses yorubas que vienen de la mezcla de creencias católicas y tradiciones africanas.

Si hay que pedir algo, se lo solicita a Yemayá, la madre de todos los orishas.

Ella es rápida y efectiva.

Su elemento es el agua, allí vive. Le gusta cazar, manejar el machete; es indomable y astuta. Sus castigos son terribles y su cólera avasalladora. Es justiciera y tremenda. Su nombre no debe ser pronunciado a menos que antes se toque la tierra con la yema de los dedos y se bese en ellos el polvo. Su día es el sábado.

Le gustan las ofrendas: las rosas blancas, la fruta. Si se le pide algo, hay que darle también algo a cambio.

Hace muchos años, el Supremo Conductor Nacional miraba desesperado revolverse en la cama a su hijo mayor, atacado por la malaria: la quinina no hacía ningún efecto, y los paños húmedos en la frente y en el cuerpo tampoco mitigaban en nada la temperatura cercana a los cuarenta grados. Cuatro médicos pasaron por las habitaciones y salieron por la puerta trasera de Palacio con rumbo desconocido; el último de ellos se atrevió a decir que no había remedio. A ese nunca se le volvió a ver por las calles de Arcadia.

El muchachito se consumía en temblores. No pasaría la noche.

Odonojú se acercó al Jefe después de arrodillarse y besarse los dedos que habían tocado la tierra, y alzándose un poco en la punta de los pies le dijo al oído tan solo una palabra.

El Supremo Conductor Nacional abandonó Palacio en una limusina blindada acompañado apenas por tres escoltas, los de más confianza.

A las doce en punto de la noche una inmensa explosión, seguida de un resplandor, iluminó la bahía: un barco mercante había estallado. Esperaba el amanecer para hacer maniobras en los muelles.

El muchachito empezó a ponerse mejor. Por la mañana no tenía siquiera rastros de fiebre; pidió desayunar.

La playa estaba llena de naranjas. Miles de naranjas que se bamboleaban con las olas. Un mar naranja.

El barco traía ciento sesenta toneladas desde Veracruz.

En la explosión murieron seis marineros.

«Nada —pensaba el Supremo Conductor Nacional— nada, por la vida de mi hijo.»

La ofrenda a Yemayá flotaba sobre las aguas.

6

Las cinco de la tarde es la hora fatídica: cierre de información. Ferreira o uno de sus ayudantes pasan mesa por mesa a recolectar las crónicas, reportajes, notas, columnas, reportes de la capitanía de puerto, entrevistas y publicidad con que se compondrá la edición del diario del día siguiente. Excepto la noticia del encabezado, que puede aguantar hasta las ocho de la noche, el resto no tiene siquiera un minuto de tolerancia; el que no tiene listos y engrapados sobre la mesa sus papeles cuando se hace la ronda, no aparece en *El Faro* y además se le descuenta la jornada de la nómina semanal. Sin excepciones.

Yo estoy temblando. Tengo al lado de la máquina las tres notas que me tocaron: la presentación de un libro de poesía, una recepción ofrecida por el agregado cultural de México en nuestro país y mi reseña de la última película francesa estrenada en la Cinemateca de la Universidad Autónoma de Arcadia. No es una película nueva ni mucho menos; tiene veinte años, pero es la primera vez que se ve en la isla. La copia estaba en condiciones deplorables y, sin embargo, la disfruté enormemente. Escribí un gran elogio sobre Truffaut; allí aviso que todavía se va a presentar en tres ocasiones más y que la entrada es gratuita. «¡No se la pierdan!».

Pero lo que me hace temblar como una hoja ahora mismo, a las cuatro con cincuenta minutos, es que en el rodillo de la máquina tengo el principio del horóscopo; no más. Puede leerse apenas «SU SUERTE HOY» y mi firma, «Señor Delfos». Esto último fue una iluminación: no podía firmar con mi nombre, y por supuesto tampoco con el de Saturna. Desperté a media noche con ese seudónimo en la cabeza. No fue una premonición ni una revelación; recordaba perfectamente que los antiguos griegos habían construido en Delfos un oráculo que revelaba, por medio de esas doncellas llamadas «pitonisas», el destino del que lo preguntaba, previo pago de las tasas y el sacrificio de algún animal en el altar dedicado a Apolo. Se celebraba el día siete de cada mes y esas predicciones sirvieron, entre otras cosas, para la expansión del mundo helénico. Pero toda esa información no me servía para un reverendo carajo, tan solo el nombre, que sonaba lo bastante exótico y misterioso como para llamar la atención; el sustituto de Saturna no podía ser un vil Menéndez o Pérez o Fernández.

Sentí los pasos de Ferreira avanzando resuelto hacia mí, y luego su aliento a tabaco rancio y a café se me posó como un halcón sobre el cuello.

—¿Señor Delfos? —dijo mientras leía sobre mi hombro—. ¡Muy bueno, muy bueno!

Me volvió el alma al cuerpo. De momento.

—Tienes diez minutos —agregó y recogió de un manotazo mis notas, dejándome desolado.

¿Quién puede escribir doce horóscopos en diez minutos? ¡Nadie de los nadies!

Comencé a sudar como dicen que lo hacen los marranos, aunque jamás los he visto en ese trance. Me levanté y con largas zancadas llegué hasta la oficina de Vorhauer, el director comercial, que además guarda celosamente los diarios empastados mes por mes, año con año desde la fundación del periódico.

Sin levantar la cabeza del libro contable de dos columnas donde todos los días pone los deberes y los haberes, dijo:

—¿Asunto?

Y yo:

—Vengo por un tomo del diario.

Y él:

—Lo devuelves en cuanto termines y lo pones exactamente en su lugar.

Y yo de nuevo:

—Gracias.

Vorhauer no contestó, abstraído como estaba con sus columnas de números que hacían que todo esto funcionara.

Tomé la colección que contenía los diarios del mismo mes hacía diez años y corrí hasta mi escritorio; un poco más de diez minutos tardé en copiar, palabra por palabra, letra por letra, el horóscopo del día de mañana, escrito por Saturna una década atrás. Tuve suerte de que Ferreira estuviera hablando por teléfono de espaldas a mí: pude esconder el tomo detrás de una mesa y poner el punto final justo cuando encaminaba sus pasos hacia la redacción.

Saqué la última hoja de la máquina y engrapé las dos, las puse a mi lado y sonreí beatíficamente.

Ferreira las tomó como quien atrapa a una gallina del pescuezo y leyó por encima los horóscopos.

—¡Muy bien, coño, muy bien! —afirmaba mientras avanzaba sobre las palabras con la vista.

Yo estaba empapado.

Antes de darse la vuelta para ir a su oficina con las cuartillas en la mano, dijo al vuelo:

—Que sea la última vez que plagias a Saturna. Los tienes que escribir tú mismo; llega más temprano. Cuando tú vas, yo ya vuelvo, ¡cojones!

Y me dejó con un palmo de narices mirando al infinito.

Así que tendría menos de veinticuatro horas para aprender a hacer horóscopos. ¡Menudo paquete me tocó! A mí, que ni siquiera sé cuál es mi signo.

7

De haberlo sabido, me habría fijado mucho mejor en cómo escribía Saturna los horóscopos en la redacción todas las mañanas, pero está muerta y no hay ninguna posibilidad de que reviva. Así que, antes que nada, debo aprender los signos cueste lo que cueste.

Buscando aquí y allá, descubro que son doce como los meses del año y que cada uno tiene un planeta que lo rige, así como un elemento distintivo y, por supuesto, las fechas durante las cuales el que nace entre ellas se convierte en sujeto receptivo a los designios y las particularidades de ese signo. Escribo en mi libreta:

		ELEMENTO	PLANETA
Aries	21 de marzo al 20 de abril	Fuego	Marte
Tauro	21 de abril al 21 de mayo	Tierra	Venus
Géminis	22 de mayo al 22 de junio	Aire	Mercurio
Cáncer	23 de junio al 22 de julio	Agua	Luna
Leo	23 de julio al 22 de agosto	Fuego	Sol
Virgo	23 de agosto al 22 de septiembre	Tierra	Mercurio
Libra	23 de septiembre al 23 de octubre	Aire	Venus
Escorpión	24 de octubre al 20 de noviembre	Agua	Marte

Sagitario	21 de noviembre al 21 de diciembre	Fuego	Júpiter
Capricornio	22 de diciembre al 20 de enero	Tierra	Saturno
Acuario	21 de enero al 19 de febrero	Aire	Urano
Piscis	20 de febrero al 20 de marzo	Agua	Neptuno

Ahora sé que soy Géminis y que ni las fechas ni los planetas ni los elementos me dan luz sobre cómo puede influir el día en que naces en tu destino. El dueño del periódico comparte mi signo y poco más: él tiene muchos billetes, un yate, dos amantes y una casa inmensa con piscina, yo definitivamente no y no los tendré, por lo que se ve en mi incierto futuro; soy solo un redactor de noticias culturales y ahora astrólogo incipiente, si se puede decir que uno es astrólogo incipiente por tener una columna diaria y conocer apenas los signos zodiacales.

Saturna los hizo todos los días durante veinticinco años casi sin pestañear, como si le fueran dictados desde algún lugar y ella solo transcribiera esos mensajes.

Era muy impresionante verla escribir, con parsimonia y decisión absoluta en sus inmensas uñas que parecían de hierro, y el tintineo feroz de las pulseras de oro y plata. De vez en cuando hacía crípticas preguntas a alguno de sus allegados:

—Justito, ¿te levantaste hoy con el pie derecho o el izquierdo?

Y Justito, sin moverse de su lugar, le respondía:

—Derecho. Pero me duelen los riñones. Va a llover.

—Gracias, viejo —zanjaba la mujer y escribía frenéticamente.

Yo jamás tuve la curiosidad de ligar las extrañas preguntas con los horóscopos que eran impresos al final, pero ahora sé que sin duda había una conexión entre ellos.

Salgo de la redacción y encamino mis pasos directo hacia El Ateneo, la única librería «de viejo» que hay en la isla y que pertenece a Salvador de la Fuente, tan viejo como su propio negocio; una institución en todo el Caribe.

Me le acerco con timidez. Está sentado en su mecedora de siempre, hecha con el palo de guayacán más fuerte y bello que se haya visto en estos lares; lee, con una pipa entre los labios. Distingo claramente el título del libro que tiene en las manos: *Historia de dos ciudades*, Charles Dickens, un clásico. Sin levantar la vista de las páginas me saluda.

—Tanto tiempo, Timo. ¿Dónde coño te metes?

—Por ahí, don Salvador. Mucho trabajo —respondo.

—Ya. Me llegó una biblioteca entera desde Barbados; casi todo en inglés pero hay dos o tres libros en *castilla*, poesía del Siglo de Oro. ¿Te interesa?

Meto la mano en el bolsillo y palpo los dos únicos billetes que tengo y que espero se conviertan en mi tabla de salvación.

—Otra vez será, don Salvador. Vengo más bien buscando otra cosa —aclaro y paseo los ojos por el enorme caos existente dentro del local, donde hay cientos, miles de libros puestos sin orden ni concierto.

—Tú dirás. —Por fin baja el libro para verme mejor. Sus anteojos parecen dos lupas que hacen que sus ojos se vean sobresalientes, como los de una iguana; una iguana amable, por cierto.

—¿Tendrá algún libro de astrología? —Y lo digo en la voz más baja que mi garganta me permite, temiendo que otros lo escuchen.

—¡No me digas que te tocó la joda de suplir a la vieja! —suelta una sonora carcajada.

Asiento con la cabeza. No hay nadie alrededor, y don Salvador tiene fama de discreto.

—Por favor, no se lo cuente a nadie —digo confirmando sus más que fundadas sospechas.

Se levanta y pone el libro en cualquier parte, encima de una pila; seguramente, cuando me vaya, pasará mucho rato buscándolo. Sigue riéndose, ahora por lo bajo.

—Tranquilo, tu secreto está a buen recaudo. ¡Pero si esa cabrona no tenía ni puta idea de astrología! ¡Se lo inventaba todo de cabo a rabo!

A mí se me cayó el alma al suelo.

—Yo pensé… —atiné a musitar.

—Nada. No pienses nada. Olvida lo que dije —se metió al fondo del local, riéndose entre dientes.

Volvió al poco con un libro ajado y amarillento entre las manos. Me lo tendió como si quisiera deshacerse de él lo antes posible, como si quemara.

Los signos del Zodiaco y su influencia en los hombres, del Marqués de Curú. Jamás había oído aquel ridículo nombre.

—¿Cuánto cuesta? —pregunté con voz de pobre.

—Llévatelo; es basura. La basura no cuesta nada. Eso no es una ciencia, es un puñetero invento.

Quise abrazarlo.

Me lo impidió con un gesto.

—Yo no digo nada si tú no dices que yo te lo di. ¿Estamos? —explicó a mi oído, confidencialmente.

—Será nuestro secreto —dije tan serio como pude.

Y salí al sol, que empezaba a pegar con la fuerza habitual que tiene solo en los trópicos.

Apuntes para contar una isla

España, la mal llamada «Madre Patria», era una entelequia, un propósito, no más que los buenos deseos de nuestros padres fundadores.

Era una vil mentira que fuésemos una colonia suya. Ellos ni siquiera sabían que existíamos.

La noticia, traída a principios de 1815 por don Rafael Alcérreca, al que por cierto todavía podían vérsele las marcas de los grilletes en los tobillos, cayó en todos no cual un balde de agua helada, sino como uno grande de aceite de coco hirviente.

De pronto éramos huérfanos.

Por viajeros perdidos en el Caribe que recalaron en nuestra tierra, también nos enteramos de las múltiples y sonadas guerras de independencia que se habían suscitado en otros países de América en los últimos años, sin que a nosotros se nos subiera ni una sola de esas pulgas.

Esos visitantes, que aceptaron rones, puros y café a cambio de información, fueron desgranando fechas y lugares de emancipaciones como un rosario: el 1 de enero de 1804, nuestro casi vecino Haití, que aunque está lejos, también se encuentra en el Caribe; Paraguay, el 15 de mayo de 1811; Venezuela, el 5 de julio del mismo año, Colombia diez días después; el 13 de septiembre de 1813, México. Un año después, Uruguay. ¿Dónde coño nos habíamos metido?

Algunos no podían creer lo que sus oídos escuchaban; íbamos tardísimo en la construcción de un país independiente.

Pero por otro lado, Nueva Arcadia, esa tierra bonachona y pródiga, no tenía muchas ganas de pelear. Sería que éramos muy pocos y casi todos se conocían entre sí.

Pese a ello, no podíamos quedarnos atrás.

En un solo día, el 14 de febrero de 1815, el capitán general se adhirió en un bando solemne a las Cortes de Cádiz (ya desaparecidas), y esa misma tarde abolió el bando y decretó la independencia, inaugurando unas cortes propias que por la noche, con seis votos de seis, instauraron la República de Arcadia.

Hubo dos semanas de fiestas y celebraciones a todo bombo y platillo. Se quemaron castillos pirotécnicos hechos por los chinos del pequeño barrio chino, y se brindó a lo grande por la abolición de la esclavitud (misma que nunca existió, porque los indios y negros que muchos años atrás fueron importados ya eran ciudadanos comunes y corrientes). Paula Contreras Pino, adolescente rubia, hija de la clase dirigente, bordó primorosamente la nueva enseña nacional, un cocotero verde sobre mar azul turquesa y un sol naranja detrás, todo sobre inmaculado blanco, y se izó esa bandera en el Palacio de Gobierno, en el faro, en las nuevas cortes, celebrando a la república y a la nueva identidad.

Ya casi no quedaban españoles peninsulares en la isla: tal vez el más connotado fuera don Alejandro Navarrete, perfumista y dueño de L'Olor (en esta grafía inventada que pretendía, afrancesadamente, dar cuenta de sus artes y habilidades), único establecimiento en Arcadia que importaba esencias desde la cada vez más ajena Europa, y él mismo creador de perfumes con toques tropicales que causaban furor cada primavera. El caso es que Navarrete, emigrado tan solo unos años antes desde las Vascongadas, fue el primero en llegar hasta las nuevas cortes, a escasas horas de haber sido inauguradas, con una pequeña caja bajo el brazo. Pidió ver «a quien mandaba» (ya que no quedaba claro en lo absoluto quién dirigía en esos momentos los destinos de la isla), frente a los seis prohombres enfrascados en la redacción de una nueva y apresurada Constitución abrió sobre una mesa la cajilla bordada en tafetán púrpura y, como un mago, levantó entre las dos manos, por encima de su cabeza, el frasco esmerilado que lanzaba destellos bajo los candiles, lleno de un líquido ambarino que también refulgía como el fuego.

—¡Arcadia! —dijo a voz en cuello ante las miradas sorprendidas de los constituyentes, seguros de que se encontraban frente a un loco; luego, silencio. Todos esperaban algo más. Resignado, Navarrete tuvo que explicarlo—: Aquí está la esencia de Arcadia, de nuestra isla, del trópico. He creado el perfume de la república. Contiene las más sutiles fragancias de nuestras flores, los más delicados aceites esenciales de nuestros frutos, las gotas de agua de nuestro mar turquesa, una pizca de nuestras doradas arenas. Aquí, señores, está concentrado nuestro pasado, pero más aún, ¡en este perfume está nuestro destino!

Y abrió el tapón para que todos pudieran deleitarse con la fragancia que, en efecto, olía como debe oler el paraíso.

Así que antes de Constitución, himno nacional, leyes o idioma oficial, tuvimos el perfume de la nación.

Mil frascos, mil, vendió Navarrete en los meses siguientes: todas las damas de nuestra boyante sociedad, y las que no lo eran, querían oler a república nueva, a independencia, a Estado nacional. Así, el hombre pasó a ser el perfumista de Arcadia, con designación oficial y exención de impuestos por decreto y bando solemne.

Pero, como debe ser, el gozo se fue al pozo; solo un año duraron el embeleso y la paz.

Brotes de rebelión comenzaron en el sur de la isla, en la pequeñísima provincia de Mambrú, donde decenas de hombres armados bajo el mando de un teniente de artillería de apellido Gómez, quien contaba con un solo cañón y muchas ganas de hacer jaleo, se levantaron contra la naciente república. Jamás quedaron claras sus demandas, unos decían que pretendía jurar lealtad a los ingleses (y no había uno solo en Arcadia), otros que poseía ínfulas imperiales, y algunos más, que era un emisario de los piratas holandeses que asolaban otras islas y de los que nadie tenía noticia.

El caso es que el regimiento de Arcadia completo, trescientos once hombres, veintisiete caballos y dos cureñas con sus respectivos cañones, partió rumbo al sur a sofocar la rebelión, dejando desguarnecida a la capital del mínimo país, momento aprovechado por los constituyentes, que en el fondo no lo eran tanto y a los cuales las circunstancias los habían puesto en el lugar y el momento idóneos para que decidieran dar un golpe de timón: el 7 de junio de 1816 abolieron la Constitución, que ni siquiera estaba redactada, y se nombraron a sí mismos como regentes vitalicios.

Muy elegantes, emperifollados, los seis salieron al balcón de Palacio y avisaron del nuevo estado de la patria, una insólita regencia compartida. Los pocos habitantes de Arcadia que desde la plaza escucharon atónitos semejante despropósito, comenzaron a abuchear y lanzar verduras y frutas podridas a los prohombres que, con una muy escasa guardia defendiéndolos, se escondieron en las habitaciones interiores de la edificación. Tener una independencia y una patria y perderlas tan pronto era algo que los libres y soberanos ciudadanos tropicales no iban a permitir tan fácilmente, así que cercaron el lugar armados con machetes y dispuestos a cercenar las cabezas de los traidores.

Pero… las muy sólidas puertas de madera y la piedra traída del continente eran capaces de resistir cualquier asedio. Y si la guarnición volvía y se plegaba a los flamantes regentes, todo estaría perdido. Algunas noticias referían que los insurrectos de Mambrú se habían rendido sin presentar batalla, y jurado fidelidad a la tropa enviada desde la capital. Gómez de todas maneras fue debidamente colgado como escarmiento republicano en el campanario de la iglesia porque en los alrededores no existía un solo árbol lo bastante alto.

El cerco a Palacio duró menos de doce horas y culminó de manera sorprendente.

Arturo Fung Long, de veintiséis años, lavandero de vieja estirpe, magnífico almidonador de camisas y cuellos de gala, hábil como pocos con la plancha de vapor, había entrado unas horas antes al recinto a entregar, pulcramente dobladas, once camisas y unos calzoncillos largos a nombre de don Perfecto Munárriz. Se encontraba Fung Long en los aposentos bajos, en una de las cocinas, deleitándose con un caldo de gallina y en animada charla con Irma Secundino, una de las mejores cocineras, cuando comenzó el asedio. Sin moverse de sus banquetas, los dos vieron estupefactos cómo los tres guardias de Palacio corrían de un lado a otro atrancando puertas y ventanas; luego comenzaron a oír el rumor de voces que crecía y se multiplicaba a las afueras del lugar, allí en la plaza.

Dicen las crónicas que esa reunión frente al caldo de gallina fue crucial para el destino de la nación, pero hay versiones encontradas y mucho menos gloriosas. El caso es que Fung Long, escuchando los golpes y los gritos afuera de Palacio, encaminó sus pasos hacia el portón principal, tomó un machete que andaba por ahí, por si acaso, y abrió la puerta de par en par. La multitud enardecida tomó el sitio y pasó por las armas a los seis regentes y los tres guardias sin ninguna clase de miramientos; eran sus vecinos pero también eran traidores.

Dicen nuestros libros de historia que Fung Long fue el héroe que atizó el fuego de la verdadera independencia. Algunos detractores cuentan que gritó: «¿Qué coño es este bochinche?», pero ya nadie se atreve a repetirlo. No fue una casualidad, fue el destino. Se escribieron muchas largas y gloriosas páginas sobre ese día que cambiaría este rincón del Caribe.

Lo que quedó para siempre fue su imagen levantando el machete.

Esa imagen, detenida en el tiempo, del glorioso Fung Long —que luego sería primer presidente de la Junta Constitucional de Arcadia— frente a Palacio, abriendo las puertas a la liberación y al futuro, permaneció constante en el imaginario colectivo: una efigie definitiva que inundaría plazas y malecones a lo largo y ancho de nuestra patria. El libro bajo el brazo vendría después, mucho tiempo después.

El Padre de la Patria: nuestro padre oriental.

8

Un hombre vale por el tamaño de los sueños que sueña.

O eso pensaba yo hasta antes de recibir la herencia maldita de Saturna.

Ahora, en vez de prodigiosos atardeceres con la mano puesta en la grupa o el pecho de una mulata, sueño con gemelos perversos, machos cabríos, escorpiones, peces carnívoros; sueño indefectiblemente con los signos de ese Zodiaco que, aunque parezca broma, me quita el sueño desde hace dos noches.

Intento descifrar los aparentes propósitos de los astros y su influencia sobre los frágiles seres humanos que caen bajo su encanto y a los que deben su destino... sin resultados aparentes. No me reconozco ni siquiera en las supuestas virtudes y defectos de mi signo, Géminis, que según el Marqués de Curú debería destacarme en la comprensión y la versatilidad, pero no entiendo nada de nada, voy en camino de comprender cada vez menos y soy tan versátil como un cocotero que no sirve más que para dar cocos, porque de sombra, ni hablar.

También se supone que los influjos planetarios sobre mi persona me hacen ser de «muy buen humor»; yo, que ando todo el puñetero día cascarrabiando y quejándome en voz baja. Tal vez el marqués tenga parte de razón en cuanto a los defectos, que dice tienen que ver con la inconsistencia y la superficialidad, pero no me lo creo del todo: he sido constante como pocos en la búsqueda de mis objetivos, y si fuera superficial como él presupone, no estaría leyendo su jodido libro. Termina su descripción diciendo que los de mi signo tenemos como lema «Yo voy», y ahí acertó. *Yo voy* a tirar el libro a la basura lo antes posible.

Pero el sentido común me lo impide. El que crea en los designios de los astros creerá en lo que escribe este santo varón, y por lo tanto más me vale, para efectos prácticos, hacerle caso, por lo menos a la hora de escribir los horóscopos.

Es muy de noche. Una brisa refrescante, salada, entra por la ventana de mi austera habitación. Desde que murió mi madre, estoy más solo que un perro; si no fuera por la mano con que escribo y me masturbo, mucho más de lo segundo que lo primero, ya me hubiera vuelto loco. Tengo tres camisas, dos pantalones, dos pares de zapatos, unas sandalias y un traje de baño que es una reliquia de los tiempos de catapún. Tengo un solo juego de sábanas, un catre, dos toallas, un hornillo, una cafetera, dos tazas, dos platos, una cuchara, un cuchillo y un tenedor, una sartén. Tengo una mesa y una silla. Veintiséis libros. Punto, es todo lo que tengo. Y cabe en cuatro líneas.

Pero me tengo a mí mismo. Soy yo, y desde hace un escaso par de días, soy también el enigmático, misterioso, portentoso, único, inigualable ¡Señor Delfos!, astrólogo de planta del *Faro del Caribe*, ese que puede leer en las estrellas, adivinar en los gestos, encontrar en los números y los signos el destino de hombres, mujeres y niños; el que sabe el futuro, el pasado y lo porvenir.

¡Un completo embustero!

Uno al que le han subido el sueldo veinticinco por ciento y que no puede mandar todo al demonio porque quiere más libros y un traje de baño nuevo con el que no pase pena en la playa de Miramar, donde se reúne lo más granado, lo más selecto, la flor y nata de nuestra criticona y muy observadora alta sociedad.

Y como no me ponga a escribir ahora mismo el horóscopo de mañana y deje todas estas ensoñaciones, tendré el mismo traje de baño el resto de mi vida.

Vale, la apuesta está en la mesa, el diablo tira las cartas y soy el único jugador, así que haciendo de tripas corazón, no me queda más remedio que jugar el juego.

Saturna ponía los horóscopos en orden; sin fallar comenzaba con Aries y terminaba con Piscis. No entiendo esa lógica aparente; que los signos zodiacales comiencen en marzo y no en enero, que es como empiezan los años, es un misterio que tendré que descifrar tarde o temprano, pero no hoy. Voy a darle un giro inesperado a la columna zodiacal: comenzaré siempre con el signo que esté vigente ese día y lo iré cambiando conforme avancen. Hoy estamos a 22 de octubre, así que el horóscopo que escriba y que saldrá impreso pasado mañana en el periódico corresponderá al día 24, justo cuando inicia el ciclo de Escorpión, que terminará hasta el 20 de noviembre. Solicito ayuda al buen Curú (que está salvándome el culo) y me entero así de que, según él, los nacidos bajo Escorpio (porque también se le llama así, indistintamente) tienen a Plutón como planeta regente. Es un signo cuyo elemento es el agua, el martes es su día más favorable, ¡y pasado mañana es martes! Su color es el verde, su piedra la amatista, sus perfumes son la violeta y la dalia, y el número de suerte, el nueve.

Los escorpiones se destacan por tener una gran imaginación y enorme creatividad, principalmente en lo profesional; no se cansan nunca de trabajar y les gusta descubrir cosas nuevas a cada paso. Son de firme voluntad y gran carácter. Tienen fuertes sentimientos y un magnetismo extraordinario. Aman la libertad y luchan siempre por conservarla.

Por otra parte, también tienen lo suyo en cuanto a defectos: posesivos, celosos, dominantes, intransigentes, tercos y agresivos. Nunca dan un paso atrás en sus opiniones.

¡Vaya con los escorpiones!

Sabiendo todo esto, lo bueno y lo malo según mi nuevo guía, estoy más perdido que al comenzar; son casi las tres de la mañana y no he escrito ni una línea. En estos casos extremos solo hay una posibilidad de escapatoria: recurrir al oficio y a la imaginación.

Así que me pongo a trabajar, y a inventar desbocadamente. Procuro ser todo lo críptico que puedo y a la vez lo más concreto que la ambigüedad me permite.

Querido Escorpión: ¡Hoy es el día! Todos los planetas se alinean para que cumplas tus propósitos, sueños y deseos. La palabra «NO» ha sido borrada de tu diccionario. Decreta tu destino y empuja a los demás para que caigan a tus pies. Evita los juegos de azar; solo apuesta a ti mismo. Número de suerte: nueve. Color: verde olivo.

No me creo ni una sola palabra de lo que he escrito. Voy por buen camino.

♏

El Barón Samedi se lo dijo al oído mientras dormía.

El hombre todavía no era el Supremo Conductor Nacional: tan solo un teniente de caballería al mando de un pelotón que recorría la sierra norte de la isla buscando sublevados comunistas.

Tenían a tres de ellos, barbudos, flacos y piojentos, golpeados y amarrados de pies y manos en una esquina de la cabaña con techo de palma, la luna llena iluminándolos.

Uno de los guerrilleros lloraba quedamente; no debía tener siquiera quince años, sus botas estaban llenas de agujeros.

En un árbol inmenso, los soldados pasaron una cuerda por una rama alta que pudiera resistir el peso de un hombre.

El que luego sería Supremo Conductor Nacional miró a los prisioneros con atención, como quien escoge a una res en el matadero; se acercó al jovencito y le pegó un tiro en la cabeza. Luego, sin transición, mató al más viejo de los tres.

El último guerrillero, de ojos abiertos como platos y con un trozo de tela metido brutalmente en la boca para evitar que gritara, fue arrastrado hasta los árboles y colgado de cabeza a dos metros sobre el suelo.

Los soldados se retiraron del lugar.

Con lentitud y parsimonia, el teniente de caballería fue despojándose de las botas de montar, la fornitura de cuero, la espada y la pistola, el pantalón, el chaquetín azul, los calcetines, los calzones largos, hasta quedar desnudo por completo.

Tomó entonces un machete mambí, recuerdo del abuelo que había estado en la guerra de Cuba, y se puso bajo el hombre bocabajo que se retorcía como un poseso, descoyuntándose los tobillos.

De un solo, preciso, inmisericorde tajo, le cortó la garganta.

Y se puso, desnudo como estaba, bajo el largo chorro de sangre que fue cubriéndolo como un lienzo escarlata a la luz blanca de la luna.

Así encontraría la fuerza y el valor, el arrojo, la fiereza para combatir por siempre al enemigo.

El Barón Samedi se lo dijo al oído mientras dormía.

Nadie es nadie para discutir con el rey de los muertos.

9

—¡Requetemuybién! —me dice Ferreira, palmeándome en la espalda.

Yo sonrío cuidadosamente, sin excederme un ápice, porque lo conozco y sé muy bien que después del elogio viene el «pero», así que me preparo.

—Claro que tienes que encontrar tu propio estilo, salpicar aquí y allá con mensajes de aliento, usar las pasiones humanas como elemento clave; hacer que te crean. Saturna te enseñó muy bien —comenta Ferreira mientras se rebusca algo en la bolsa del pantalón.

—Sí, sí —respondo sin atreverme a decirle que todo es un invento, que de signos no sé nada y que lo más que Saturna me enseñó fue el liguero de sus medias una vez, y eso solo para saber si estaba bien abrochado.

Me tiende un billete de cien.

—El director sabe recompensar a los que se esfuerzan, sigue así —dice y se marcha con mis horóscopos en la mano rumbo a su oficina.

Los había visto de lejos, pero nunca tuve uno en la mano. Por algún extraño motivo, solo me pagan con billetes de veinte semanalmente: ocho de ellos que parecería que acaban de salir de la Casa de Moneda, impecables, y cinco desaparecen entre sábado y domingo, cubriendo el alquiler, el gas, la luz, las vituallas que me mantienen vivo, algún libro. Hoy, lo que tengo en las manos no es un billete desde donde sonríe don Melchor Asúnsolo, presidente de la Segunda República; lo que está allí es un nuevo traje de baño, dos libros (no leídos hasta el hartazgo por otros, maltratados siempre, sino novedades), unas copas en donde se me salga del forro de los cojones, tal vez un poco de jamón serrano. No es dinero, es el boleto de entrada a una vida nueva.

Me acerco, orondo, deslizándome como un Fred Astaire tropical pero sin que nadie se dé cuenta, hasta donde teclea muy concentrado Federico Cañas, nuestro experto en política; ese que tiene puerta franca en Palacio y al cual ministros y generales le hacen confidencias que luego aparecen como grandes noticias dentro de su columna.

—¿Me podría usted decir qué estado guarda la nación? —le pregunto juguetón, feliz con mi billete en la cartera.

Sin dejar de escribir me responde con otra pregunta:

—¿Y desde cuándo te importa la nación?

Vuelvo al ataque; el que yo escriba de cultura, y ahora los horóscopos, no quiere decir que lo social no esté dentro de mi mira. Estoy a punto de contestarle con la famosa frase del famoso Terencio, esa de que nada de lo humano me es ajeno, pero me contengo, no vaya a ser que me mande al carajo. Lo cierto es que nunca me ha interesado demasiado lo que pasa en los entretelones de la isla; después de treinta años de paz de la mano férrea y a la vez benévola de nuestro Supremo Conductor Nacional, no hay mucho que decir. Sé que hay algunos brotes de inconformidad en la universidad y unos cuantos campesinos revoltosos en la sierra, pero nada grave: el ejército y los servicios de seguridad nacional mantienen el control y la vida sigue tranquilamente. La paz social es cacareada en cada discurso oficial y las fotografías de nuestros líderes, sonrientes y complacidos, la reafirman a diario en el periódico. Cuando yo nací él ya estaba en el poder y tengo la sensación de que es inmortal. Los años no pasan por su cuerpo ni por su cara; sigue siendo ese apuesto, correoso, alto teniente de caballería que subió al poder casi por casualidad y que luego dio el golpe definitivo a los socialistas que pretendían poner nuestro petróleo y nuestras reservas naturales en manos de los soviéticos. «Dios, Patria, Orden, Destino», ese es su lema y todos lo repetimos cada aniversario del «Cambio», el glorioso diciembre de 1944. Sin embargo, hoy estoy tan feliz que quiero, cueste lo que cueste, hacer conversación, meter hilo para sacar hebra.

—Bueno, sé de buena fuente que el diputado Núñez quiere encabezar a la oposición —digo sabiendo que lo sabe él y lo saben todos; nada nuevo bajo el sol.

—Núñez es un *comemierda*, se ha forrado gracias al Jefe y ahora resulta que es demócrata. ¡No jodas, Menéndez! Si le hacen una auditoría a su gestión como ministro de Petróleo, tendrá que acabar en Ipiranga semidesnudo, comiendo frijoles podridos.

La sola mención del Penal Nacional de Ipiranga me hace estremecer: allí solo van los delincuentes muy peligrosos y los opositores al régimen. El que entra no sale. Se cuentan historias terribles del lugar, ninguna comprobada; que si hay torturas cotidianas y sistemáticas con artefactos eléctricos, que si hay un par de leones africanos a los que alimentan con presos, que si el comandante Trujillo colecciona orejas humanas, que si esto o que si lo otro. Existe un hermetismo total acerca de lo que allí sucede paredes adentro y la verdad es que prefiero no saber nada. Cañas siempre repite, a quien quiere oírlo, que el que está en la cárcel es porque se lo merece; será cierto. Dejo de ser el niño juguetón con billete nuevo en la cartera y me pongo serio.

—¿Cree que no prospere lo de la bancada de oposición?

—Todos son los mismos y todos le deben favores al Jefe. Si habrá oposición, será porque somos un país moderno y los países modernos necesitan otras voces, solo que en este caso particular son vocecitas que repetirán lo que la *Gran Voz* les diga que digan.

—¿Queda claro? — Sonríe maquiavélicamente.

Por supuesto que me queda claro: habrá oposición ficticia que hará parecer que hay oposición real, pero solo realizará y dirá cosas dictadas por el Infalible. No seré yo el que repita semejante cosa en público.

—Queda claro —digo y doy media vuelta rumbo a mi mesa de trabajo. Ya no bailo como Fred Astaire, soy un hipopótamo lento y perezoso al que le ha caído encima, de golpe, el peso de la historia. Todavía volteo y con la más fingida de las sonrisas que puede mi cara ofrecer, le pregunto a Cañas, que sigue escribiendo:

—¿Qué día naciste?

—26 de agosto —contesta sin mirarme.

—Eres Virgo.

Él se ríe. Tengo que concentrarme en mi papel y punto: soy el Señor Delfos, y el Señor Delfos no se mete en cosas de política.

Apuntes para contar una isla

Arturo Fung Long aceptó el cargo de presidente de la Asamblea Constituyente con la condición de que dejaran que él mismo planchara sus camisas; era el único tema en el que no confiaba ni en su propia madre.

Resultó un hombre con una capacidad organizativa sorprendente. Sin nada que perder ni compromisos políticos de ninguna especie, Fung Long llamó a los mejores a su lado, hombres y mujeres que supieron poner a la patria por encima de intereses personales o de grupo. Así, Arcadia literalmente floreció: se construyeron escuelas, caminos, un balneario, algunas clínicas médicas. La nueva Constitución, redactada al fin, era un prodigio de simplicidad y a la vez captaba la esencia de lo mejor de las ideas libertarias de países tan desarrollados en esos temas como Francia o España (a pesar de que esta última había vuelto a la monarquía absoluta). Con solo treinta y tres páginas, resumía de manera perfecta los derechos fundamentales del hombre (en cuanto especie, no como género) y los desglosaba junto con las obligaciones ciudadanas de manera clara y transparente. La Constitución ponía un cerco brillante a los afanes protagónicos de los líderes y los obligaba a llamar a elecciones generales cada cuatro años, con posibilidad de una sola reelección.

Y a tan solo un año de gobierno se convocó al pueblo a las urnas. Fueron esas, las elecciones de julio de 1817, las más limpias y nutridas del Caribe, y todos los votos sin excepción correspondieron a Fung Long, que se convirtió en el primer presidente constitucional de la República Libre y Soberana de Arcadia.

De inmediato nombró, sin sueldo, a dos consejeros que se convertirían junto a él en leyendas perennes de la vibrante historia de Arcadia: Carlos Contreras de la O, fotógrafo, rotograbador, alquimista de la imagen, cronista visual de esa Primera República, y a Luis Ilang, hijo de chinos como él y compañero de aventuras lavanderas y de otros tipos que no merecen ser contadas en esta reseña. En uno de los corredores de Palacio se dice que hubo una conversación entre los tres personajes que marcaría para siempre el destino de esa patria nueva.

—Arturo —dijo solemne Contreras de la O—, tienes que casarte. Un presidente necesita por fuerza una dama que lo acompañe en su travesía por la historia.

—Pero si ni siquiera tengo novia —dicen que contestó el flamante caudillo.

—De eso no te preocupes —respondió Luis Ilang con una chispa en sus achinados ojos.

Y se lanzaron emisarios secretos a todos los rincones de Arcadia en busca de la mujer que reuniera las cualidades necesarias para convertirse en la primera dama. Buscaban a la hembra arcadiana hacendosa, culta, discreta, bella, inteligente, liberal, con carácter y «de cadera ancha» (eso por recomendación de Contreras de la O) que pudiera unir su destino con el de Fung Long en busca de la construcción de un país, y de ser posible, una familia.

Una a una fueron desechadas por la mirada crítica del prócer.

Cuenta la leyenda, porque no hay nada escrito que así lo corrobore, que el dignatario, cada vez que le era presentada una damisela, decía inverosímiles cosas al oído de sus asesores para descalificarlas de un plumazo:

«Pero si es bizca, ¡coño! Aunque toque el piano como los ángeles.»

«Hija de conservadores. ¿Quieren meter al enemigo en mi cama?»

«¿Saben qué sale de la mezcla de una rubia de ojos azules y un chino?»

«Tiene los pies grandes.»

«Esa es corniveleta». (Por lo visto, se dice así de los toros bravos que tienen un cuerno más caído que el otro; parece ser que se refería a los pechos de la señorita, nadie lo sabe a ciencia cierta.)

«Criollas no. Arcadiana será hija de arcadianos, o nada.»

«¡Zorrona desorejada! Yo la he visto salir de noche, cayéndose de borracha, de El Gato Negro. ¿En qué carajo están pensando?»

«Me gusta, pero cojea y no, no puede estar sentada todo el tiempo para que nadie se dé cuenta. ¡Carlos! ¿Eres mi amigo?»

«La única pelirroja en esta zona del mundo. ¿No será demasiado llamativa?»

El caso es que iban siendo eliminadas tan rápidamente como llegaban. Incluso una de ellas, antes de entrar a Palacio —que ya se llamaba Casa de Gobierno, aunque todo el mundo siguiera diciéndole Palacio—, fue borrada de la lista en cuanto se bajó del carricoche que la trajo desde la lejana Marina, al norte de la isla. Arturo estaba mirando en el balcón y dicen que dijo:

—Pesa lo mismo que la marrana de la tía Celia, la marrana grande. Denle las gracias por venir.

Seis meses y sesenta prospectos pasaron por allí sin que el líder diera ni su brazo ni su corazón a torcer. «El último soltero de la dinastía Ming», lo llamaban con mala leche en los aristocráticos círculos que no se habían prestado en lo absoluto a ofrecer a sus hijas para ser sacrificadas en el altar de la patria, o más bien en la cama con dosel de la patria.

Conforme pasaba el tiempo, Fung Long se hallaba cada vez más taciturno y cabizbajo. Era imposible que no existiera en toda Arcadia una mujer que cumpliera con sus expectativas; en algún rincón debía estar su media naranja, esperando con los brazos abiertos.

Y así fue.

Arturo escrutaba constantemente en los recovecos de la Casa de Gobierno: pasaba el dedo índice de la mano derecha por sobre jarrones y mesas para comprobar que estuvieran lo impolutas que una república liberal merecía; metía la nariz en peroles y sartenes ante la mirada traviesa y complacida de Irma, que ya había sido nombrada cocinera mayor y de vez en cuando, con gesto cómplice, ponía un poco más de sal o de ají en las sopas o estofados. Revisaba las habitaciones y comprobaba que las sábanas se encontraran limpias, que el salitre no hubiera oxidado los goznes de puertas y ventanas, que cada habitación tuviera un pequeñísimo jarrón con un ave del paraíso, la recientemente nombrada flor nacional; que la bandera ondeara en el mástil, que la guardia no fuera perezosa sino permaneciera atenta y vigilante.

En una de tantas vueltas por el edificio, Arturo, curioso, abrió una pequeñísima puerta blanca del entresuelo. Un sutil olor a jazmines y a lavanda le llenó las narinas y vio, como debió haberlo hecho uno de esos santones bíblicos, el milagro frente a sus ojos: sobre una silla, dos camisas largas planchadas y dobladas a la perfección con pliegues inmejorables y amorosos, los cuellos cuidadosamente almidonados en su punto, ni acartonados ni flexibles en extremo, y los puños impecables, sin una sola línea que delatara el atropello o el mal hacer.

Así que cayó al instante en el embrujo y encontró el amor no a la vuelta de la esquina, sino en el sótano mismo de su nuevo hogar.

Y fue como conoció a la morena de ojos color miel y pechos redondos como toronjas que se convertiría en la primera dama de Arcadia, Soledad Magistral, de oficio planchadora.

10

El Señor Delfos se convirtió muy pronto en un suceso, una pequeña celebridad en una isla donde sucedían muy pocas cosas que pudieran llamar la atención.

Contados con los dedos de una mano eran los que conocían al hombre que se ocultaba tras el rimbombante seudónimo: el sencillo Timoteo Menéndez, ese que tenía ya una cama nueva, un traje de baño negro, una cafetera francesa y una vida que pintaba a mejor, por mucho.

Seis meses le habían dado la posibilidad de encontrar un estilo propio, diferenciado, riguroso en la predicción y juguetón con la prosa. Llegaba a las diez de la mañana y antes del mediodía ya tenía listos los horóscopos. Podía, ligero de esa carga, sentarse a escribir sus notitas de cultura sin que nadie le estuviera tocando los cojones.

Comenzaron a llegar cartas a la redacción a su nombre, «Señor Delfos», que él abría y leía deleitado y simultáneamente estupefacto al darse cuenta de que la gente se tomaba en serio, muy en serio lo que escribía a diario en el periódico. Ferreira tomó la decisión de que esas cartas fueran contestadas en la sección «Palabra de lector» cada vez que llegaran y que se le diera una paga extra de cinco caribes a Timoteo por respuesta.

Querido Señor Delfos:

Soy Acuario y estoy por casarme en un par de semanas con un hombre que lleva el signo de Piscis. Mi madre opina que no somos compatibles pero yo estoy muy enamorada. ¿Qué hago? Ayúdeme por favor, porque estoy a punto de comprar el vestido de novia. Su admiradora, Virginia.

Y Timoteo, sabedor de que la respuesta venía acompañada de un billete de cinco, da rienda suelta a su imaginación:

Estimada Virginia:

Como buena acuariana, usted es leal, fiel, independiente, idealista. Sabe lo que quiere y lo consigue cueste lo que cueste. No permita que otros se interpongan en su búsqueda del amor. Los signos con los que es más compatible son Tauro, Leo y Escorpión, pero esto no quiere decir en absoluto que un Piscis deba hacerla infeliz. Sus colores de la suerte y el destino son el azul claro, el amarillo, el púrpura; compre el vestido blanco pero lleve una nota de alguno de estos para que la fortuna la favorezca. No le haga caso a su madre. Por favor, sea feliz.

> *Fe, paz y destino.*
> *Señor Delfos.*

Al tiempo, tuvo que dejar de escribir sobre cultura porque cada día respondía dos o tres cartas de ilusos e ilusas que pretendían que les aclarara el camino. En el fondo se sentía complacido de que sus inventos influyeran en la vida de otras personas, y por lo tanto se volvió cada vez más enloquecido y fantasioso: si vives de decirle a la gente lo que quiere oír, la misma gente besará el suelo donde pisas, y aunque sea desde el anonimato, el orgullo, que no sabe de esas cosas, se hincha como una pelota de playa y puedes ir rodando plácidamente a todas partes.

En Arcadia fue muy sonada la boda de una mujer que se casó en la catedral vestida enteramente de púrpura, rompiendo con la tradición ancestral del inmaculado blanco; una epopeya de color que se balanceaba como un barco entre un mar de sonrisas. Cuentan que quiso invitar como padrino de bodas al hombre que le cambió la existencia, el Señor Delfos, y también que las flores amarillas que engalanaban toda la nave del templo fueron enviadas por él, pero que justo ese domingo la luna estaba en Capricornio y esa fue la excusa, por escrito, para no acompañar a Virginia en el día más importante de su vida.

Ferreira le palmeaba la espalda con sonoras y efusivas muestras de su complicidad mientras esgrimía como trofeos las cartas que arribaban a la redacción pidiendo los más inverosímiles consejos, como saber los días idóneos para plantar yuca, qué número de la lotería nacional comprar, o el mejor momento para emprender ese viaje tan largamente anhelado.

—No puedes contestar todas —le dijo Ferreira a Timo—, y no es por el tema del dinero. Un astrólogo debe mantener un aire misterioso, un cierto velo de desapego a las cosas fútiles y terrenales: alguien que puede prever el destino jamás debe perder ese don ofreciendo el número del galgo que ganará la carrera estelar. Mantén distancia, reserva; divinidad.

Timo asentía con la cabeza como hacen los perritos de juguete hechos en China que llevan los taxistas en el tablero junto al volante de sus máquinas.

Lo estaba haciendo bien y, sin embargo, cada vez que escribía los horóscopos se le erizaba un poco la piel como a un niño capturado en falta, como si manoseara los juguetes reservados a los adultos; tenía la sensación de que de un momento a otro Saturna volvería de la tumba para reclamar tanta mentira. Estaba deshonrando el oficio, si a eso pudiera llamársele un «oficio».

Géminis: Recibirás noticias de muy lejos. Los astros te sonríen. Hoy tienes el poder para hacer feliz a los demás, aprovéchalo. En tus manos está cambiar la vida de los otros. Palabra del día: vitalidad. Color: verde. Aroma: sándalo.

Basura pura.

♏

El *Supremo Conductor Nacional*, el *Infalible*, mira por la ventana de su despacho.

Allí abajo están los jardines que imitan a escala a los de Las Tullerías; por razones de seguridad no puede tener vista al mar como él quisiera. Un carboncillo original con una bellísima bailarina de Degas, solitaria en la pared revestida de plomo y forrada de cedro blanco, es su única compañía durante las dos horas de la mañana en que escribe sus memorias.

«Qué lejos has llegado», piensa. Sus lejanos y humildes orígenes son solo un borroso recuerdo, un amargo y distante sabor en la memoria, una espina diminuta que de cuando en cuando le escuece en la base del cráneo y desaparece en cuanto mira hacia delante.

Sabe bien que para cambiar el futuro hay que cambiar primero el pasado. Nada de infancia dolorosa, de golpizas con la cincha de cuero con que se fajaba a las mulas, de curas abusadores, de padre borracho hasta la náusea, de carencia de lo indispensable, de la necesidad de entrar al Ejército como única salida posible y escalón hacia arriba.

Hace dos o tres días pasó muy cerca de la Universidad en la limusina presidencial de vidrios ahumados por una de las calles laterales, no sabe bien si Reina o Robinson Crusoe, y vio el muro pintado con sólidos caracteres rojos: *no* una de esas pintas apresuradas que chorrean por todos lados, sino por el contrario, de una perfección rayana en el absurdo; parecía hecha con esténcil y en su elaboración habrían ocupado los perpetradores una noche entera. Nadie de la comitiva pudo leerla, pero él sí durante por lo menos seis o siete segundos. Un ligero temblor le comenzó en la barbilla que apretó para que nadie se diera cuenta, luego le bajó al brazo derecho y después hasta la mano que empezó a movérsele violentamente.

«En este país somos millón y medio de cobardes y un hijo de puta», decía como si fuera la pantalla de un cine al aire libre.

En el fondo sabía perfectamente que era imposible que alguien conociera el verdadero oficio de su madre: todos los que en algún momento tuvieron esa información, hoy estaban muertos, unos de muerte natural y otros de bala, machete o mordida de serpiente. Los libros de texto, sus biografías oficiales e incluso las no autorizadas, las propias memorias que escribía por las mañanas dejaban en claro que doña Andina Maciel de Cervantes había sido una honesta y eficiente torcedora de la Real Compañía de Tabacos del Caribe, egregia institución que al presente día sigue produciendo grandes dividendos y en cuyo salón principal puede verse el enorme retrato de la madre del líder sonriendo a la posteridad.

La pintada en el muro no era literal, lo que querían decir en realidad es que él era un cabrón y de eso se sentía completamente orgulloso. No buscaba que el pueblo lo quisiera: quería que, aterrorizado, se pusiera de rodillas a su paso.

Al llegar a Palacio mandó a comparecer ante su presencia al jefe de la Policía y con mórbida tranquilidad le dio instrucciones para averiguar quiénes habían sido los que hicieron la pintada en cuestión. Fue muy claro: debía llevarlos a su despacho en una pieza lo antes posible, nada de torturas.

Se acerca hasta el cuadrito de la bailarina y con un dedo toca el marco de ribetes dorados. Un regalo del presidente de una compañía petrolera yanqui. «Debe costar una fortuna y es mío», piensa. «Todo es mío», vuelve a pensar. Sonríe complacido.

Tocan a la puerta del despacho, muy suavemente.

—Pase —se escucha decir a sí mismo.

El jefe de la Policía entra de modo marcial y se cuadra frente al Supremo Conductor Nacional.

—Lo tenemos. El que hizo el mural. Está acá afuera —anuncia concreto, serio, muy en su papel.

—Tráiganlo.

Entran al despacho dos policías vestidos de civil, enormes los dos, de guayaberas impecables, y traen en volandas a un hombre flaco y joven que mira alrededor con las pupilas llenas de espanto; tiene una pequeñísima barba de candado y el pelo largo recogido en una coleta. El jefe de policía sigue rindiendo el parte, ahora con un papelito entre las manos.

—Ramiro Cienfuegos. Estudiante de derecho, último año. Marxista-leninista. Soltero. Viajó a Cuba el año pasado.

Luego se acerca al estudiante, que entre los dos monstruos de guayabera intenta enconcharse como si fuera a recibir un golpe. El jefe de policía le toma una de las manos, cerrada, y la abre con fuerza: tiene rastros de pintura roja.

—No hay duda —dice y le sonríe al Supremo Conductor Nacional, sabedor de que los esfuerzos tienen sus recompensas.

Ahora es el líder quien habla. No se ha movido del centro del despacho desde que comenzó esta escenificación; lleva las manos a la espalda, como un maestro bonachón que fuera a dictar su clase de literatura frente a un auditorio atento y expectante.

—Cienfuegos, ¿usted piensa que soy un hijo de puta?

Al enemigo siempre hay que hablarle de usted. Lo hace; esa es una de las pocas enseñanzas que guarda celosamente de sus años de instrucción militar. Pero Cienfuegos no contesta: intenta con su silencio conservar cierta dignidad ante la inminencia de la catástrofe que se avecina y cuyo primer signo son esas piernas que no responden.

—Porque es probable —dice el líder—. Pero lo cierto es que usted sí es un cobarde, como decía su escrito.

La conversación, inexistente por falta de interlocutor, ha terminado. Con un imperceptible movimiento de cabeza da la orden. Los policías y su detenido salen del despacho tan rápidamente como entraron; el jefe, antes de abandonar la habitación, se cuadra y saluda poniendo la mano sobre la visera de su quepis. Entrechoca los talones, esa herencia prusiana que tanto gusta a los soldados.

El Supremo Conductor Nacional camina hacia su enorme mesa de caoba. Se sienta en el sillón coronado por la talla en madera de un águila bicéfala y, blandiendo una pluma fuente en la mano derecha, vuelve sobre los papeles que dan cuenta de su heroica vida. Escribe: «Las decisiones que tiene que tomar un líder deben estar supeditadas al beneficio de la patria. Así, yo...»

Apuntes para contar una isla

Fueron años de paz los que se vivieron bajo la presidencia de Fung Long, veinte en total. A pesar de que la Constitución arcadiana prohibía expresamente las reelecciones después de dos periodos, no hubo contendientes ni partidos políticos establecidos que se atrevieran a lanzar una fórmula. Así, por aclamación popular, cinco veces, cinco, Fung Long ganó de calle, por mayoría absoluta, la Presidencia. De talante discreto, como buen oriental, con juicio y entendederas, logró formar un gabinete extraordinario que lo acompañó durante todo el tiempo que duró la aventura: los mejores científicos, los ciudadanos más letrados, los abogados más brillantes y sobre todo los militares más leales, hicieron del gobierno de Arcadia, de 1817 a 1837, un modelo para el Caribe entero.

Se construyeron durante esos años los dos puertos principales de la isla: el de Arcadia, que ya tenía muelles con maderas semipreciosas y al que se le construyó una capitanía en forma, alrededor del cual pronto florecieron posadas, hoteles, tiendas de enseres y ultramarinos, discretos prostíbulos, bares y tabernas que le dieron una vida bulliciosa y amable a los alrededores, y uno más al norte, donde están desde tiempos inmemoriales las grandes plantaciones de caucho, mangos y plátanos que se exportaban, entonces y ahora, incluso a Estados Unidos. A ese se le puso por nombre Virgilio en honor al poeta, y desde entonces es un ejemplo de la boyante industria agrícola de la patria.

Muchas cosas sucedieron durante esos años, pero este no es un libro de historia y por lo tanto no serán aquí reseñadas. Pero sí diremos, porque es de todos sabido, que el Palacio de Gobierno no solo se pobló de enmiendas, edictos, buenas intenciones y hechos consumados, sino también con niños, nada menos que ocho, producto de los amores apasionados de Arturo Fung Long y Soledad Magistral, mujer que resultó de una fogosidad tal que las criadas de la casa huían escandalizadas por las noches hacia el patio mientras los amantes consumían lúbricamente los tres actos de esa obra diaria entre jadeos, gritos y jaculatorias en el lecho presidencial.

Todos los hijos de la singular pareja siguieron los pasos de los padres, no en el terreno político, sino en el noble oficio de lavar, almidonar, planchar e incluso remendar con singular maestría. Todavía hoy, en pleno siglo XX, la Lavandería y Tintorería Fung Long-Magistral presta sus servicios en Arcadia y no hay un solo competidor que se le acerque siquiera a los talones.

Durante la gestión presidencial de Arturo se establecieron relaciones diplomáticas con todos los países del Caribe sin excepción, y el intercambio de materias primas, conocimientos y personas hizo que Arcadia se convirtiera en una región cosmopolita, multicultural, respetuosa de las diferencias y tolerante en extremo en cuanto a religiones y colores de piel, pero fue sin duda en el terreno agrícola donde la intuición de los arcadianos rindió, si cabe la expresión, los mejores frutos. Los primeros mangos llegaron hasta la isla procedentes de México alrededor de 1803; tan solo un par de cajas que un finquero de Veracruz mandó, verdes, a un conocido que le había ayudado con un embarque perdido. El arcadiano receptor, llamado Mario Mendoza, emigrante colombiano, enloquecido con el sabor, la textura y la fragancia de esos frutos, de los cuales supo luego que eran de la variedad Manila que contra toda lógica no procede de las Filipinas sino de tierras aztecas, con enorme esmero plantó las semillas en su rancho: cuarenta árboles de *Mangifera indica* crecieron y se desarrollaron al paso del tiempo. La benevolencia de la tierra caribeña, la intensa temporada de lluvias que benefactora riega los campos durante casi seis meses y el enorme cuidado que Mendoza y sus hijos pusieron en la consecución de su objetivo, dieron como resultado una primera cosecha de cerca de dos toneladas de amarillos y jugosos mangos que hicieron las delicias de Arcadia; los vendían con la condición de que los golosos habitantes devolvieran las semillas a fin de poder sembrarlas y que el ciclo continuara. Para 1830, la plantación Mangos Mendoza alcanzaba las cien hectáreas y ya se daba el lujo de exportar a algunos de los países vecinos. Pero el año decisivo fue el de 1833 cuando don Mario, para entonces un avezado conocedor del fruto y su diversidad, hizo el injerto que lo volvió famoso en todo el Caribe y sus alrededores: desechando las especies Apple, Carabao y Manga Rosa por su acidez, se puso a experimentar con el mango Manila mexicano y dos recién adquiridas y novedosas variedades, los Keitt de la India, que llegan a pesar hasta setecientos gramos, y los Julie, caribeños, que tienen un intenso aroma.

Dos hectáreas de prueba fueron suficientes para conseguir el milagro.

Enormes mangos con el sabor perfecto, aroma penetrante y la fibra justa, catapultaron a Mendoza al éxito absoluto. Los mangos Arturo, nombrados así en honor al presidente de la república, enormes, de cáscara firme y amarilla como el oro, carnosos y exultantes, tuvieron una acogida sin parangón en el mundo gastronómico; cuenta la leyenda que uno de estos frutos, con más de dos kilos de peso, fue subastado en el Old Spitalfields Market de Londres por la exorbitante suma de veintiséis libras y dos peniques, pagada por un intermediario de la realeza británica. «Manjar de reyes», fueron llamados desde entonces.

Mendoza se hizo rico y los mangos Arturo le dieron la vuelta al mundo con enorme fortuna y la peculiaridad de que nadie jamás pudo plantarlos en ningún otro lugar que no fuera el norte de la isla; esa singularidad le brindó a Arcadia su primera denominación de origen y es hoy por hoy un orgullo nacional y fuente de divisas de considerables proporciones.

Gracias a Mendoza y su ingenio, nunca hemos sido considerados como una «república bananera» de esas que abundan por estos lares y que son casi un estigma.

11

Estoy poniendo las últimas líneas del horóscopo de Piscis, augurándole un fin de semana lleno de sorpresas y aventuras, cuando siento una mirada a mi espalda que me hace dejar de escribir. Giro la cabeza y la indubitable presencia de Ferreira con la cara más larga que nunca, como de sepulturero haitiano, me escruta como quien examina un trozo de carne antes de elegir qué pedazo llevar hasta el sartén.

—¿Qué hiciste, Menéndez? ¿En qué puto lío te metiste? —pregunta a bocajarro.

—¿Yo? En ninguno. Nada. ¿De qué habla? —respondo al pelo.

—Algo hiciste para que la Guardia Presidencial esté allá abajo, en la recepción, para llevarte *ipso facto*, y así dijeron, *ipso facto,* a Palacio.

—¡Coño! —atino a responder, buscando en mi cabeza alguna posible falta cometida. Pero no la hay, he dejado desde hace mucho de escribir mis notas de cultura y me he dedicado en cuerpo y alma al Zodiaco, que pingües beneficios ha traído hasta mi humilde persona.

—No estarás metido en cosas de política, ¿verdad? Porque te mato, ¡te juro que te mato si nos cierran el periódico!

—No, de verdad; nada de nada. Pero si yo soy apolítico —y remarco lo de a-po-lí-ti-co para que de verdad le quede claro.

—Eso no existe: todos pensamos, creemos o soñamos algo y eso nos vuelve, por fuerza, animales políticos. Menos cháchara, coge tu saco y vete pa'bajo. Y que Dios te ampare —esto lo dice Ferreira como si fuera la última vez que nos veríamos.

Camino con el saco claro de lino a cuestas, sobre el hombro, por el pasillo de la redacción, arrastrando los pies como quien va al cadalso, al muro donde espera el pelotón de fusilamiento, como cristiano que cruzara las puertas del Coliseo Romano hacia la arena, no a la Vía Apia, se entiende. Un silencio reverencial se hace a mi paso: incluso el ayudante de redacción se quita de mi camino cual si yo fuese un leproso, un apestado, no vaya a ser que se le pegue algo y el próximo pueda ser él.

Bajo las escaleras despacio, respirando profundamente. Desde el descansillo miro a los tres gorilas vestidos de traje negro, corbata negra, zapatos negros, camisas blancas, lentes oscuros, quienes fuman mientras esperan a su víctima, y pienso que con uno solo hubiera bastado y sobrado, yo que soy pequeñito y esmirriado, que nunca en mi puñetera vida me he enzarzado en una gresca y que bastaría una bofetada, suave, para dejarme de culo en el sitio.

Me ven bajar y apagan apresuradamente contra el suelo las colillas de los cigarrillos; incluso uno me sonríe.

—¿Timoteo Menéndez? —pregunta el más alto y con facha de más malo de los tres.

—A sus órdenes —digo con un hilo de voz.

—Tenemos instrucciones de trasladarlo icso facto a Palacio —me muestra una credencial de metal de la que no logro ver nada más que las letras rojas que dicen «Servicio Secreto». No me meo del susto por pura casualidad, ni siquiera me regodeo mentalmente con el *icso facto* que tan serio dice el personaje; en estos momentos cualquier cosa es un mal presagio. Me pongo en sus manos sabedor que en esta patria mía todos son culpables aun cuando son tan inocentes como yo mismo.

Me escoltan a la calle, donde un sol feroz de casi mediodía me recibe; abren la puerta de la limusina negra y blindada y me ponen, como un paquete para regalo, en el asiento de atrás. Voy flanqueado por dos de las murallas, el tercero maneja. Huelen a lavanda y a tabaco. Percibo un ligero tufillo a mamey y a plátanos maduros; debieron pasar por el mercado antes de venir por mí.

El periódico está a escasas tres manzanas de Palacio, en el centro histórico, y sin embargo el viaje me resulta eterno. Veo por la ventana cómo pasan en cámara lenta chicos en bicicleta, un vendedor de yucas, tres pequeñas con uniforme azul de colegio privado, una mulata con un niño entre los brazos, veo cómo pasa en cámara lenta la vida, y yo sigo sin entender por qué voy a Palacio si jamás he hecho nada malo, ya no hablemos de obra, ni tan siquiera de pensamiento. El Supremo Conductor Nacional está donde está, conduciendo los destinos de la patria, desde antes de que yo naciera, y jamás me he cuestionado su infalibilidad, su capacidad o su derecho a permanecer desde entonces en el poder. Yo soy solo un minúsculo redactor de horóscopos falsos: ni siquiera fui a la universidad, que es donde se dice que se incuban las ideas marxistas que pretenden derrocar al líder. Tampoco en mi vida he leído un libro que pudiera considerarse subversivo. Critico como critican todos los arcadianos, que si los baches de las calles, que si lo sucio de las playas, que si esto o que si lo otro, pero jamás con aviesas intenciones; por criticar, pues, como se critica y se queja uno a gusto en el Caribe.

La limusina traspasa las rejas oscuras y enormes de Palacio, dos guardias uniformados de gala se cuadran a nuestro paso. Me parece una ironía, ¿o saludarán así a los que saben que van a morir?

Pero yo no debería tener motivos para el miedo. No he hecho nada. Levantaré la voz y clamaré mi inocencia, sea cual sea la fundada sospecha en mi contra. Soy un ciudadano con derechos y estoy dispuesto a defenderme.

La limusina se detiene frente a una de las puertas principales, cerca de los afrancesados jardines. El gorila de la derecha me da un breve codazo pero las piernas no me responden, no puedo moverme de mi sitio.

—¡Vamos, viejo, que el Jefe lo espera! —me dice amablemente, tan sospechosa y amablemente que en automático recupero un poco de control y paseo el culo sobre la piel oscura de los asientos hasta que logro incorporarme fuera del auto.

Traspaso el umbral que lleva al infierno y una secretaria de falda por arriba de las rodillas me sonríe, lleva un montón de papeles entre los brazos.

Los gorilas me encaminan por un pasillo de suelo de mármol y cuadros en las paredes. Reconozco algunas de las escenas pintadas: la batalla del 6 de marzo, los ahorcamientos de Mambrú, el desfile glorioso de 1877; el puerto recibiendo a la goleta de Darwin, el dálmata de los bomberos entrando al incendio en el centro, Fung Long hablando al pueblo desde el balcón presidencial, muy cerca de donde me encuentro. En los muros de este enorme pasillo está la historia de Arcadia.

Al fondo hay una puerta de más de tres metros de altura; dos militares con lanzas y cascos dorados con plumas la flanquean a los lados. Se ponen firmes, uno de ellos abre.

Los gorilas se quedan en la frontera invisible que separa el despacho del Jefe del resto del mundo. Piso la mullida alfombra de color borgoña; detrás, la puerta se cierra.

El Supremo Conductor Nacional escribe en su enorme mesa de caoba, nos separan cuatro o cinco metros. Me habla sin levantar la vista de los papeles:

—Pase, pase.

Y yo camino hacia el destino. Tiene menos pelo de lo que aparenta en las fotografías que salen en el periódico todos los días; debe rondar los setenta. Lleva un impecable terno azul marino y corbata roja de nudo perfecto. Me quedo de pie junto a una de las sillas de visitas.

Levanta la cabeza y me mira directo a los ojos. Encuentro en ellos un viso de sorpresa.

—¿Timoteo Menéndez? —pregunta asombrado, como si esperara al lord chamberlain.

—Sí, señor —opto por esa respuesta neutra porque no sé si llamarlo Alteza Serenísima o Su Excelencia.

—¿Usted es el famoso Señor Delfos? —y antes de que yo conteste, sigue—: ¡Coño, pensé que sería más alto!

Doy un par de cabezazos afirmativos. ¡Me dijo famoso! Pasea los ojos de arriba abajo. No llevo corbata, tengo una mancha de café en la camisa. Podría haberme cortado el pelo la semana pasada, como pensé; el dobladillo de mi pantalón en la pernera derecha está deshilvanado. Tengo un poco de barro en los zapatos, no estoy seguro de si me rasuré por la mañana. Estoy instalado en un delirio y casi llego a pensar en qué calzoncillo traigo puesto, cuando él se levanta de la silla presidencial y me extiende una mano:

—Pues es un gusto.

Yo se la estrecho suavemente. Está fría y es pequeña, de uñas recortadas al ras y venillas azules que le surcan el dorso. Por un momento pienso que no es tan grave estar frente al Jefe Supremo, que tal vez salga de aquí incólume. Se da cuenta y recupera el tono grave que le he oído en alguno de sus discursos: perentorio, solemne, con esa voz que tienen los que están acostumbrados a mandar.

—¡Hoy mismo deja de escribir los horóscopos en el periódico! —ordena y vuelve a sentarse.

No sé qué decirle. Veo cómo se van volando los billetes de mi bolsillo; debo tres abonos de la cama y ya había pagado un adelanto por un cochecito usado. ¿Qué habré hecho para que me pida esto? Mi fuente de ingresos, lo único que hoy por hoy sé hacer en la vida.

—Sí, señor —respondo y bajo la cabeza disculpándome por esa falta que seguro cometí pero de la que no tengo ni la menor idea.

El hombre me sonríe beatíficamente, como los curas del Vaticano, quienes entrenan para que les salga siempre igual, con las comisuras de los labios en línea recta y sin enseñar nunca los dientes.

—A partir de mañana lo espero aquí, en este despacho, todos los días a las siete en punto. Me gusta la formalidad. Mi secretario hablará sobre sus honorarios y el lugar donde vivirá en adelante. Se acabó el periodicucho ese.

No entiendo una palabra.

Él lo nota. Rápidamente me lo aclara:

—Señor Delfos, usted, a partir de este instante, se convierte en mi astrólogo personal. Puede retirarse.

♏

Todos los días, a la una de la tarde en punto, se suspenden durante unos minutos las actividades de la Presidencia. El Supremo Conductor Nacional se queda completamente quieto en su despacho, con los ojos cerrados. Nadie lo interrumpe, nadie lo molesta.

Los encargados del protocolo no ponen reuniones a esa hora, las giras comienzan muy temprano y la una encuentra siempre al líder en un lugar resguardado y seguro.

Alguna vez desairó al mismísimo presidente de Estados Unidos, que tuvo la ocurrencia de citarlo a un almuerzo a esa hora en la Casa Blanca; luego, para remediarlo, le mandó con su jefe de Estado Mayor un reloj de oro puro con incrustaciones de diamantes. El presidente yanqui no se sintió agraviado en absoluto por lo del almuerzo y firmó, mientras el reloj se balanceaba suavemente en su mano, los tratados de explotación de estaño en la isla por parte del pueblo y gobierno que tan dignamente representaba.

Pero esto lo saben muy pocas personas en la isla, gente de confianza solamente.

La una son las trece horas, número fatídico; número con el que no hay que jugar si no quieres que el destino te arrolle como a un perro flaco y perdido en medio de la carretera.

Los días trece el Jefe no trabaja. Se queda en su cuarto circular y se encomienda a dioses y diablos por igual, esperando *que no caiga un rayo ni tiemble, ni salgan de su tumba los muertos a cobrar las deudas que con ellos tiene.*

Apuntes para contar una isla

Fung Long y Soledad Magistral abandonaron la residencia presidencial con una sonrisa en los labios, ocho hijos a cuestas y la cama con dosel donde habían fecundado a su descendencia. Habrá que decir que contra la tradición caribeña de que los presidentes y líderes se hagan de oro durante sus gestiones, Fung Long fue un dechado de virtudes y no puso una sola uña sobre el tesoro, que fue incrementándose de manera singular por la vía de los impuestos durante todo ese tiempo. Ahorró religiosamente la mitad de su sueldo durante veinte años y eso fue lo que le permitió poner la cadena de lavanderías con la que siempre había soñado. No más política.

Sintió, al salir de la residencia, que se le quitaba un peso de encima. La mudanza fue rápida y expedita; no tenían mucho que llevarse, todo pertenecía al Estado y entregó cuentas claras y menajes completos a sus sucesores: regalos de Estado, tibores orientales, mesas de maderas preciosas, dos caballos árabes blancos que pastaban indiferentes en los jardines y que se habían comido en una semana todas las magnolias, un Ejército más profesional y una Cámara de Representantes de diecisiete miembros (número mágico que impide los empates) que legislaba siempre pensando en el bien común.

En 1837 las elecciones fueron ganadas por los conservadores. Siguiendo el modelo de algunos países latinoamericanos, se llamaban a sí mismos «azules» y habían fundado el partido tan solo seis meses antes. Los liberales rojos, despojados de la enorme presencia de Fung Long, su líder, decidieron no postular a nadie para el cargo, así que una vez más en la historia de Arcadia la elección del presidente fue por unanimidad.

Segismundo Albarrán de Medinacelli, con ese nombre rimbombante y de aires aristocráticos, propietario del Banco Nacional de Arcadia, a sus sesenta y siete años tomó la presidencia el 1 de enero de 1838 y estuvo tan solo nueve días en el cargo.

Al amanecer del día 10 lo encontraron muerto en el despacho con la cabeza hundida en un mar de decretos y papeles, y la cara morada y abotagada. Se dice que fue envenenado pero no hay una sola prueba que así lo acredite; corre desde entonces una truculenta versión que habla de una amante despechada que jamás hubiera podido ser primera dama, y que vengó así su mala fortuna.

Como la Constitución no aclaraba en ninguno de sus artículos qué hacer en caso de la repentina pérdida del jefe del Ejecutivo, no se hizo nada.

El gabinete nombrado por Albarrán, que había entrado en funciones un día después de su investidura, gobernó plácida e inteligentemente los siguientes cuatro años y la primera viuda de la nación recibía en fiestas y banquetes, vestida de negro hasta el cuello, a nombre de su finado marido e incluso se permitió que fuera ella quien diera el tradicional grito de independencia y que presidiera cada uno de los festejos patrios, pero en temas de Estado no tenía ni voz ni voto.

En el intermedio seguían pasando curiosas y muy tropicales cosas en la isla; por ejemplo, la triste e increíble historia de los gemelos vieneses.

Los inseparables Hans y Fritz, que aunque parezcan personajes de cuento infantil de Andersen no lo son, llegaron emigrados de Austria en 1838 sin saber una sola palabra de español ni tener la más mínima idea de que habían recalado en este perdido rincón del cosmos. Tomados de la mano bajaron de la goleta *Friburgo* y miraron, con sus pálidos y desmesuradamente abiertos cuatro ojos azules, ese mundo nuevo y poderoso, lleno de ruidos salvajes y colores despampanantes. No debían de tener arriba de quince años; empezaron por quitarse los enormes chaquetones de marinero, los chalecos grises idénticos y las gorras de fieltro ante la magnitud y esplendor del sol caribeño. Todos vieron entonces a esos niños gemelos rubios, blancos como la leche, sentados sobre un enorme arcón de madera roja en el muelle principal, esperando durante dos días con sus noches.

Un alma caritativa les acercó algunas frutas que comieron con avidez y a señas se dieron a entender. «¡Javana, Javana!», era lo único que repetían los muchachitos y lo único que los que se acercaron a ellos entendían; no deberían hallarse en Arcadia sino en Cuba, en La Habana, donde alguien seguramente los estaría esperando.

Próspero Macalapang, filipino y versado marinero que vivía encima de un burdelito en las inmediaciones del muelle, hablaba un poco de alemán; fueron por él.

«Dicen que se bajaron por error en Arcadia», comentaba Próspero mientras daba una larga chupada a su pipa de espuma de mar.

«Dicen que su tío Edmund los espera en La Habana para abrir juntos una pastelería.»

«Dicen que si pueden darles más fruta o una salchicha o un pan. ¡Ah, y agua, dicen que también quieren agua!»

«Dicen que cuándo sale el próximo vapor, barco, goleta o lo que sea hacia Cuba.»

«Dicen que no pueden esperar tres semanas.»

«Dicen que quieren ver inmediatamente al cónsul.»

Pero no había cónsul austriaco en Arcadia, ni alemán ni polaco ni ruso. Existía una oficina cubana de intereses comerciales y allí fueron a caer con su enorme cajón rojo y sus pupilas azules como el mar del Caribe; les dieron pensión y alimento.

La goleta *Friburgo* regresó a Arcadia al cabo de tres semanas y pico. El capitán, de apellido Rilke, muy consternado por haber perdido a dos de sus pasajeros de la manera más tonta, traía consigo no solo la congoja, sino pésimas noticias: el tío Edmund estaba muerto, y Fritz y Hans sin más familia sobre la faz de la Tierra, solos.

Los cubanos quisieron desentenderse de inmediato del problema y los pusieron de patitas en la calle junto con su enorme baúl.

Y pasó por allí, justo en ese instante, Marcelino Ocaña, el panadero.

El destino es un animal veleidoso que hace madriguera en los lugares más insospechados. Por intermediación de Próspero Macalapang, Fritz y Hans acabaron en la casa de Ocaña, solterón y aparentemente rudo asturiano que pronto adoptó, sin saberlo, a los dos mejores reposteros austriacos que el mundo haya tenido noticia.

El cajón misterioso de madera roja estaba lleno a rebosar de artilugios pasteleros: molinillos manuales de aspas, cacerolas de metal, de cobre, rebañadores, moldes, paquetes de levaduras varias, globos para batir, tinturas vegetales insospechadas. Era ni más ni menos que el cofre del tesoro de un goloso.

Ocaña amplió su panadería y en un par de semanas le puso a los gemelos un taller de ensueño para que demostraran sus habilidades: un horno de vapor, mesas enormes para amasar, tinas de fermento de levadura sin juntas de metal, espaciosos anaqueles, incluso unas *manos escocesas* de madera para elaborar su propia mantequilla; Hans y Fritz tenían lágrimas en los ojos cuando entraron por primera vez al lugar. Se remangaron al unísono y sin decir agua va, en un frenesí creador, comenzaron a trabajar.

Sobre las mesas comenzaron a desplegarse vainilla de Papantla, chocolate belga, cerezas almibaradas de Washington, ralladura de coco haitiano, mangos orgullosamente arcadianos, cardamomo de la India, canela de Ceilán, los huevos de las más robustas y eficaces gallinas de la región, la leche de vacas contentas, azúcar blanquísima de las plantaciones del norte, harinas de maíz, de trigo, de sémola, agua purísima de cascada y todo esto, junto o por separado, comenzó a convertirse en maravillas.

Los gemelos, con la absoluta intención de calentar el ambiente, comenzaron por hacer *baguettes viennoises*, nada menos que trescientas, esos panes abriochados y semidulces que se iban vendiendo conforme salían del horno y que llenaban la calle y parte de la ciudad con su espléndido olor; tan solo Ocaña se comió tres, untados con mantequilla, en una sentada. Mientras tanto, la caja registradora no dejaba de tintinear con ese sonido característico que abre el camino a la riqueza. De allí en más, todo fue una ruta de sabor y de sorpresa.

Todo Arcadia acudía a la pastelería a probar los *apfelspalten*, las tortas de harina de almendra llamadas *vaniliekipferl*, el pastel esponjoso *conde sacher*, los buñuelos con frutas *apfelkuchen* y durante la época navideña las masitas dedicadas a san Nicolás denominadas *Nikolausplätzchen*. Lo fácil era disfrutarlos; lo difícil, pronunciarlos correctamente. El éxito fue tal que Ocaña decidió enseguida poner mesitas y sillas en la calle, contrató a cuatro guapas meseras a las que uniformó con su propia versión de las campesinas tirolesas, y las multitudes hacían cola para comer pasteles y beber café. Se daba en la recién inaugurada cafetería y repostería austriaca otra especialidad vienesa llamada *grog*, una fuerte infusión de café con cáscaras de naranja, ron, manteca, canela, clavo de olor y especias molidas que bebían niños y adultos por igual con singular alegría.

Hans y Fritz guardaban sus enormes ganancias en el cajón rojo con candado y mientras tanto iban aprendiendo español.

Hans decía en perfecto arcadiano «¡Así no, coño!», y Fritz «Bonita señorita» con enorme soltura.

Muy pronto, los gemelos vieneses ya eran parte del paisaje y de la vida cotidiana en Arcadia. El local se expandió varias veces a lo largo de los años y se convirtió en una de las empresas más exitosas del Caribe; la calle donde estaba instalado se volvió peatonal, se llenó de mesas y de sillas, y más de veinte meseras revoloteaban como moscas sirviendo delicias azucaradas y cafés con ron al goloso pueblo que acudía en tropel.

Hans y Fritz eran inseparables; iban juntos a la playa, comían exactamente las mismas cosas, leían libros idénticos, paseaban abrazados y se sorprendían o sonreían al unísono por las cosas que iban encontrando a su paso. Muy pronto los prósperos empresarios, ya asociados a partes iguales con Ocaña, quien se retiró y recibía mes a mes sus dividendos, compraron una enorme casa nueva de dos pisos con baños de cerámica traídos de Nueva Orleans, alfombras persas y lámparas neoyorquinas de Tiffany's que funcionaban con gas. Mandaron hacer dos cuartos idénticos, con camas idénticas de dosel idéntico, y comenzaron entonces a disfrutar las mieles del éxito.

Ya con veinte años a cuestas en Arcadia, más bronceados e hispanoparlantes, decidieron conjuntamente que era el momento de sentar cabeza, de ampliar la familia que era apenas de dos, y se pusieron por ende a buscar medias naranjas para esos solos y austriacos corazones.

Y cayeron, como debe de ser, por afinidades y gustos idénticos, prendados de la misma mujer.

Cristina Fallarás fue la elegida, esa zaragozana de sonrisa fácil y palabras comprometidas que aleteaba por el mercado y los muelles en busca de niños perdidos para darles cobijo, sopa y cariño como un cruzado medieval, como un misionero en el Congo, como una buena persona.

A la mujer comenzaron a lloverle regalos. Si Hans mandaba una docena de rosas, Fritz enviaba dos; si acaso Fritz se atrevía a hacer llegar un collar de perlas, el de Hans era de diamantes. Esta competencia absurda hizo que frente a la casa de la susodicha arribaran simultáneamente dos enormes coches de caballos cargados con regalos. Dicen que dijo:

—Estos austriacos están locos. A una mujer como yo solo se le gana por medio del corazón.

Y los espías de los vieneses corrieron prontos a decir el secreto a los oídos de sus amos.

También dicen que devolvió intactos todos y cada uno de los obsequios, y que en otra ocasión, en voz alta, en el malecón, le confesó a unas amigas:

—Lo que yo quisiera es poner un hospicio para los niños huérfanos que por aquí abundan.

Los dos rubios europeos compraron entonces sendos solares colindantes frente al mar y al mismo tiempo, con el mismo arquitecto, el mejor de Arcadia y el único capaz de enfrentar una tarea de tal magnitud, comenzaron a construir dos orfanatorios como el soñado por la dama.

Todos los albañiles, canteros, carpinteros, herreros, fontaneros y vidrieros de la isla fueron pocos para la colosal empresa, así que cuadrillas haitianas, cubanas, dominicanas e incluso de Trinidad y Tobago arribaron y se pusieron a trabajar frenéticamente.

Cristina miraba entre divertida y azorada cómo iban creciendo día a día las edificaciones iguales, al mismo ritmo. No lograba entender esa terrible competencia que se había establecido entre los hermanos, que para entonces ya ni se dirigían la palabra. Incluso habían optado, por medio de mensajes escritos, dividir la casa y las horas en que ambos usarían sus servicios. Hans se bañaba a las siete en punto y Fritz a las siete treinta. Hans desayunaba, solo, en el comedor a las siete cuarenta y cinco, y Fritz a las ocho con quince. Como la casa era grande no se veían. Llegaban puntualmente dos periódicos al día, dos cajas de puritos una vez a la semana, dos botellas de ron añejado superior todos los jueves. Problema grave fue trabajar en la pastelería.

Hans iba los lunes, miércoles y viernes, y Fritz los martes, jueves y sábados. El domingo cada quien se marchaba por su lado.

Cristina optó, como buena zaragozana de pura cepa, por tomar al toro de los cuernos y los citó a los dos a la misma hora en su casona colonial para beber chocolate y tomar galleticas. Hans llegó con un ramo de orquídeas blancas y un pastel de manzana; Fritz, enarbolando un ramillete de orquídeas moradas y un *sacher* de zarzamoras. Tocaron la puerta los dos con el pie, por tener las manos ocupadas, y caminaron por el pasillo rumbo a la salita al mismo ritmo sin mirarse siquiera una vez.

Sentados los tres, muy serios, Cristina comenzó a hablar:

—No quiero ser un motivo de encono entre ustedes, que siempre han demostrado ser unos excelentes hermanos. Por lo tanto y para terminar de una vez por todas con esta incómoda situación, he tomado una determinación —remató la parrafada, como dicen, en un «verso sin esfuerzo».

Parece que los ojos de los gemelos vieneses se iluminaron e incluso sacaron chispas de felicidad. Al fin habría un ganador.

—Los dos son gentiles, amables, encantadores, trabajadores como el que más; gente de bien, apuestos. Cualquier dama arcadiana se sentiría sumamente honrada de ser cortejada por alguno de ustedes, y yo lo estoy sobremanera al ser pretendida por ambos. Así que, para evitar que esto pase a mayores, he decidido...

Dicen que el aire en la salita de té podía cortarse con un cuchillo de lo denso que era en ese momento. Hans y Fritz estaban tiesos esperando el resultado, como si tuvieran pegado a la espalda un palo de escoba. Los dos esgrimían una tacita y un plato de porcelana de Limoges en la mano e intentaban con los labios esbozar una sonrisa que no pasaba de ser una amarga mueca.

—... que —continuó Cristina— me casaré con el capitán Limantour.

Dicen que las dos tacitas de porcelana con sus platos cayeron al suelo simultáneamente y se hicieron mil pedazos que nadie jamás pudo volver a reunir.

Se levantaron los gemelos con precisión matemática, hicieron la misma exacta y austriaca caravana, y tomando sus sombreros salieron de allí para siempre, dejando detrás de ellos el equivalente, y por partes iguales, olor a lavanda que sus cuerpos exudaban.

Lo demás es historia por todos sabida. Lo del duelo con pistola en la solitaria playa de Mojones y sus trágicos resultados. Tres cadáveres con un idéntico tiro en la frente; Hans, Fritz y Limantour.

Lo que nunca quedó del todo claro es quién le disparó a quién, pero sí que el trío murió justo a la misma hora del amanecer y que Cristina Fallarás fue triplemente viuda sin siquiera haberse casado.

El imperio repostero, sin las cuatro hábiles manos que lo guiaran, se vino abajo en cuestión de semanas, cuando los empleados arrasaron con todo lo que encontraron a su paso y hoy no se puede comer un pastel decente en esta isla de mierda.

Los orfanatorios se quedaron a medio hacer. Los trabajadores venidos de otras partes del Caribe cobraron esa última semana y se marcharon por donde vinieron, dejando dos esqueletos inmensos, como ballenas varadas en la arena, que fueron terminados a mediados de los cincuenta y albergaron por años a las embajadas estadounidense y rusa.

La playa del dramático suceso se llama ahora «De los austriacos».

La pastelería y cafetería es una tienda de ultramarinos grande y oscura.

Cuentan que Ocaña lloró desconsolado durante días.

Y Cristina no se casó con nadie y guardó luto hasta su muerte, muchos años después.

Nunca jamás hubo otro austriaco en Arcadia. Y como si de una maldición se tratara, ninguna mujer de estas tierras parió, en ningún tiempo, a un par de gemelos.

12

A las seis con cuarenta y cinco minutos de la mañana, cuando apenas despunta el sol en el horizonte, ya estoy de traje beige, corbata azul, zapatos recién lustrados, camisa blanca nueva, frente a Palacio.

Ayer, al salir de este mismo lugar, mi primer impulso fue ir hasta los muelles y subirme a cualquier barco que zarpara al sitio que fuera, lejos. Pero sé perfectamente que nuestro Supremo Conductor Nacional tiene brazos largos y ojos y oídos en todas partes, y que no hay rincón en la Tierra desde Canadá hasta la Tierra del Fuego donde pueda ocultarme, así que preferí, como decía mi madre, «al mal paso darle prisa». Fui hasta el periódico y renuncié. Ferreira no hizo una sola pregunta, algo debía de sospechar, pero me dio la mano con fuerza y me deseó suerte. Pasé por la caja y recibí mi liquidación, que fue bastante sustanciosa. No tuve a nadie a quién contárselo; tal vez sea mejor así, el tema es delicadísimo. Que el dictador quiera que yo sea su astrólogo es una especie de mala broma o, como diría Saturna, «otra malhadada jugada del destino». Por si acaso, fui a depositar íntegro el dinero del sobre a mis acreedores: la cafetera y la cama ya son mías y solo debo veinte pagos del auto usado que ni siquiera he conducido una sola vez. Es lo único que quedé a deber, todo lo demás está pagado. No tengo a quién heredárselo y dudo que alguien me extrañe; es más, ni siquiera saldrá mi muerte en el periódico, desapareceré como lo hacen las velas después de haber ardido por la noche.

Compré la camisa blanca y una botella del mejor ron de la isla y me encerré en casa a leer, de cabo a rabo, el libro de astrología del Marqués de Curú.

¿Cuánto tiempo se puede engañar a un hombre que todo lo sabe y lo tiene todo, incluido mi cuello, entre sus manos?

¿Decirle que soy un fraude y que escribo horóscopos por pura diversión y por dinero? ¿Para acabar siendo alimento de tiburones?

Cuando no tienes el destino en tu poder, lo mejor que se puede hacer es dejar que el viento te mueva a su antojo, como una de esas veletas que tienen un gallo encima y dan vueltas vertiginosamente. Así que, resignado, me encontré a mí mismo repeinado y oliendo a esa nueva colonia de limones salvajes que tanto anuncian, esperando en la reja a que den las siete de la mañana y pase lo que tenga que pasar de una puñetera vez.

Sigo pensando. Ya se ven movimientos al interior de Palacio. Tal vez debería decir la verdad y esperar la benevolencia de nuestro líder; al fin y al cabo no tuve la culpa, todo fue una jugarreta en la que se combinaron factores ajenos a mi alcance: la muerte súbita de Saturna, el que Ferreira me eligiera para sustituirla, que a mí me hiciera falta un nuevo traje de baño...

Alguien me toca en el hombro justo cuando pensaba cómo iba a decir: «Pues sí, señor, yo de esto no sé nada, pero no fue a propósito que...»

Es un guardia alto y moreno, quien me sonríe.

—Pase, el doctor lo espera —dice.

Tenemos esa manía de llamar doctores a todos aquellos que han terminado una carrera universitaria, pero el líder ni siquiera estudió. Siento como si fuera a consulta con el proctólogo; desagradable pero inevitable.

Camino por los mismos pasillos que recorrí previamente. Los mismos engalanados lanceros me abren la misma puerta y acabo de pie en el mismo sitio exacto donde ayer estuve. Sin duda, los hombres somos animales de costumbres.

—Señor Delfos; me gusta la gente formal —mira el reloj de pared que marca las 6:59 de la mañana. Sonríe.

—Estoy a sus órdenes —me escucho decir mientras mis rodillas chocan una con otra y confío en que no suenen y me delaten. Olvidé en su presencia, en tres segundos, todo el largo y farragoso discurso que pensaba soltarle implorando clemencia.

—Tengo en unos minutos una reunión con el embajador de Taiwán. ¿Qué dicen los astros? ¿Debe Arcadia por mi conducto permitir que exploten los nuevos yacimientos de petróleo del sur de la isla?

Me doy cuenta de que llevo seis o siete segundos sin respirar; intento conservar la calma. El Señor Delfos que vive dentro de mí me saca del apuro: lo escucho hablar por mi boca.

—Hoy Marte, el planeta guerrero, está en conjunción con su signo, Escorpión. Todos los tratos que haga serán beneficiosos. No dude un instante; la patria se lo agradecerá.

—¡Bien! No necesito más. Gracias. Aquí lo espero mañana. Hable con mi secretario. ¡Buen día para usted y para el brillante futuro de Arcadia! —y lo dice como si estuviera frente a un micrófono en la plaza y fuera a ser vitoreado por miles de personas que confían en su innegable talento para determinar lo mejor para la nación.

Sale con paso decidido por una puerta lateral de chapa de madera que yo no había visto; me quedo solo. ¡Ni siquiera sé a ciencia cierta dónde está Taiwán! Repetí simplemente el mismo horóscopo que escribió Saturna hace cinco años, solo añadí lo de la patria en un rapto imaginativo que espero no se repita nunca.

¡Dios, en qué lío estoy metido!

Escucho una voz meliflua y casi femenina, como la de un gnomo que hubiera aparecido aquí por un ensalmo mágico: es el secretario Odonojú, que salió de ninguna parte. Toda

Arcadia sabe de sus francachelas, y dispendios y de la enorme influencia que tiene sobre el Jefe. Es pequeñito y va de un negro impecable, como si su traje de lino repeliera las motas de polvo y la suciedad, como si fuera repelente a la miseria. Me ofrece una mano fría de reptil, y zalamero me espeta:

—Bienvenido a Palacio. Permítame mostrarle su nuevo hogar.

13

Ferreira amaneció muerto en la tina del baño de su casa, ahogado en tan solo treinta y tres centímetros de agua. El forense dice que antes sufrió un ataque cardiaco. Soltero, sin hijos, su velorio fue una reunión de unos pocos amigos, unos cuantos conocidos, varios representantes gubernamentales, y un montón de mirones y de gente que no tiene nada que hacer excepto ir a aprovecharse del café gratis que por costumbre se ofrece en las agencias funerarias de la isla.

Tan solo hace dos días estaba preocupado por mi futuro y él acaba muerto de la manera más imbécil que yo recuerde. No hay a quién darle el pésame, así que nos lo damos entre nosotros mismos; el que recibe más abrazos y condolencias es el director general, que se nota severamente consternado. La capilla ardiente está llena de coronas de flores con listones blancos que dan fe del agradecimiento de los remitentes. Pude leer algunas: Ministerio de Fomento, Ministerio de Pesca, Dirección General para la Libertad de Expresión, «Tus colegas»; Sindicato de Prensa, Arcadia Yatch Club, Unión de Campesinos de Miramar, Confederación Ganadera, Mangos Mendoza, Consignatarios de Buques Mercantes y Similares, y en medio de todas ellas la más grande, llena a rebosar de claveles y orquídeas, la que dice en dorados caracteres «Ezequiel Cervantes».

El Supremo Conductor Nacional firmó con su nombre,

nada de cargos ni protocolo oficial, como si fuera un amigo más que lamentara realmente la pérdida.

Incluso apareció por allí, rodeado de guardaespaldas, a eso de las ocho de la noche. Abrazó, como todos, al director general e hizo una guardia solemne a un lado del féretro durante unos cuantos minutos; siempre miró hacia el frente sin ver a nadie en especial. Cuando pasó a mi lado noté una brevísima sonrisa pero ni me saludó ni se detuvo, salió flanqueado de gorilas a recibir unos tibios aplausos en la calle, subió a la limusina blindada y se perdió en la oscuridad arcadiana dejando tras su paso un mar de murmullos.

Me parece que no quiere que nadie sepa que soy su astrólogo. No soy quién para contradecirlo: es mi nuevo jefe y le debo lealtad. Además, no es algo que pueda irse contando por allí alegremente: que un prócer, líder de un Estado nacional independiente, confíe en las patrañas astrológicas, lo puede dejar muy mal parado frente a la comunidad internacional e incluso ante su propio pueblo. Callaré como un ratoncito metido en un agujero y rodeado de gatos hambrientos; es más, no haré el mínimo ruido que delate mi presencia.

Llevo ya tres fuertes y amargos cafés entre pecho y espalda. Alguien, un compañero de la redacción cuyo nombre no recuerdo, me pasa una anforita llena de un ron dulce y oloroso; le doy dos largos tragos. No puedo decir que Ferreira fuera un íntimo amigo, ni siquiera un amigo en términos formales. Si acaso un mentor, un mentor raro que poco explicaba y mucho exigía. Una sombra a mi espalda, eso era.

Y sin embargo, de alguna u otra manera, creo que lo voy a extrañar. Para las once de la noche ya se han marchado todas las comitivas oficiales y a los mirones se les ha dejado de surtir café, con lo cual abandonan sus puestos. Don Justo, Justito, el viejo cronista de deportes, llora quedamente en un sillón de piel junto al ataúd; parece ser que ellos sí eran buenos amigos, desde tiempos inmemoriales. Me acerco y me siento a su lado.

—No lo puedo creer —repite una y otra vez, sorbiendo los mocos y pasándose por la cara un pañuelo gris.

—Resignación, don Justo —le soplo al oído; es lo que sencillamente he escuchado repetir hasta la saciedad en estos casos.

Él me mira como quien ve por primera vez a un extraterrestre, sin entender siquiera lo que le estoy diciendo.

—Ayer estaba aquí —dice y mira el ataúd para confirmar la ausencia—. Incluso hablamos de ir a Barbados a la competencia de pez vela —vuelve a llorar desconsoladamente.

Estoy a punto de abrazarlo pero me contengo; no le tengo la suficiente confianza. Me repliego en el sillón y lo escucho sollozar durante un largo rato. Pienso.

Por la mañana Odonojú me llevó hasta su despacho, me llenó de elogios y me dijo sibilinamente la cifra que cobraría al mes en esa misma oficina. ¡Diez veces más que en el periódico! Y eso no era todo. Detrás de Palacio, cerca de los jardines, hay desde los años treinta una serie de bungalós equipados que usan los asesores del Supremo Conductor Nacional, aunque se refirió al Jefe como «el señor presidente». Pues uno de ellos, el número siete, es para mí: tengo la llave en el bolsillo y una entrada independiente y discreta desde el exterior. Es del triple de tamaño que mi humilde exvivienda; tiene cocina, salita, una cama donde cabríamos varios, un refrigerador que hace hielos y un baño completo con tina, la que jamás de los jamases usaré después de lo de Ferreira.

Odonojú me ofreció un camión para mudarme, gentilmente lo rechacé. Todo lo que tengo cabe en una maleta, pero jamás se lo diré. Necesito un nuevo ajuar: un par de trajes, más corbatas, camisas, zapatos relucientes; el astrólogo del rey debe ir vestido de manera apropiada. Mañana mismo paso a Los Nuevos Almacenes, que son viejísimos, y pido una carta de crédito mientras cobro.

Creo que la cafetera francesa será el único utensilio que viajará conmigo a mi nuevo hogar, intentaré lo antes posible vender la cama nueva que casi no he disfrutado y que ya no me sirve para nada. Los libros que tengo puedo cambiarlos con don Salvador por otros que no haya leído; el del Marqués de Curú es hoy por hoy mi tabla de salvación en medio del naufragio y no pienso separarme de él por ningún motivo, pase lo que pase.

¿Quién iba decir que la superchería me catapultaría hasta nuevos horizontes? Y esto que acabo de decir es cacofónico, sin duda, pero cierto.

Tengo miedo y al mismo tiempo un ligero picor de orgullo me hace ir por ahí desde hoy con la cabeza levantada, viendo a todos por encima.

Mañana me mudo a mi nuevo hogar.

Y me veo a mí mismo con un vaso jaibolero en una mano, repleto de hielos recién hechos, enfundado en una elegante bata corta de seda china mientras paseo por mis dominios, tal vez fumando un habano mientras la rubia platino con liguero negro me mira, rendida de admiración, desde el sofá rojo de dos plazas que ocupa la estancia.

Me saca de la divagación un ruido potente y desagradable.

Solo quedamos don Justo y yo en la capilla ardiente. Parece un rugido.

Entre la multitud de arreglos florales distingo a un cerdo enorme y negro que hoza juguetón y hambriento sobre las orquídeas que mandó el Jefe; debió de haber entrado por la parte trasera del local. Ya lleva comido más de la mitad del arreglo, está empezando a devorar el listón. Me levanto de un salto y le pego una patada en los cuartos traseros: da un chillido esperpéntico y busca una salida por dónde escapar y evitar mi ira.

Es realmente grande el bicho, arranca con la fuerza y potencia de un caballo de carreras y se estrella al instante contra el carrito metálico que sostiene apenas en su sitio al ataúd de Ferreira, volcándolo.

El cerdo sale del local arrastrando todo a su paso.

Ferreira está fuera de su caja mortuoria, amoratado y viendo hacia el cielo raso con dos ojos desmesuradamente abiertos. A su alrededor, el desastre: la caja desguanzada, los cirios caídos, las flores desperdigadas, el cristo de metal que coronaba la escenografía partido por la mitad.

Don Justo llora en su sofá, cada vez más fuerte, con las dos manos sobre el rostro.

♏

Pertenecer al Ejército y medir un metro con cuarenta y cinco centímetros exactos es motivo suficiente para el más duro escarnio o las bromas más crueles. Se supone que hay una estatura mínima para ser reclutado, pero en Arcadia, con dinero suficiente, la familia adecuada y los contactos necesarios, incluso un ciego ascendería como la espuma en el batallón de tiradores de élite de Salamar, aunque no pudiera darle a dos metros a un elefante africano.

El que luego sería Supremo Conductor Nacional tenía por compañero de habitación en el Cuerpo de Inteligencia a un capitán con su mismo rango pero treinta centímetros menos llamado Demetrio Solá, breve y sádico personaje que muy pronto daría de qué hablar en el ejército entero, y no precisamente por su estatura.

Solo a sus espaldas era llamado enano, petiso, pigmeo, e incluso más imaginativamente «Demetrio y medio», pero solo a sus espaldas: el primero que intentó tener una ocurrencia en voz alta mientras se acercaban a las cuadras de caballos pasó dos meses en el Hospital de la Marina con el escroto cercenado por el espadín certero de Solá, que ni siquiera dejó que terminara de hilar la frase procaz con que iba a referirse a su pequeña humanidad. Al venir de una rica familia de exportadores, sin pagar aduanas le importaron ajuares completos, fornituras, sillas de montar, botas, trajes de campaña y de gala a su exacta medida. Incluso la New Haven Arms Company de Norwich, Connecticut, le había fabricado especialmente una copia perfecta, a escala, de su fusil de repetición Henry, idéntico en todo al que usó Gregory Peck en La luna que acecha. Hasta su purasangre negro, Diablo, era un poco más pequeño que los demás.

Visto de lejos era un perfecto soldado, hecho y derecho.

Alguien, mientras se servía el rancho de oficiales y en voz baja, comentó que los enanos traían mala suerte. El que luego sería Supremo Conductor Nacional tembló imperceptiblemente, barruntando desgracias, y en cuanto estuvo franco fue a ver a una bruja famosa por sus premoniciones.

—¡Habladurías de viejas! —dijo la mujer mientras tiraba las cartas del tarot sobre la mesa por diez caribes—. Un hombrecito tiene los huevos de tamaño normal; eso quiere decir que en su cuerpo son más grandes que en el de los demás. Vete con cuidado: «hombre pequeño, saco de veneno», decía mi abuela. Más vale tenerlo de tu lado.

Y a su lado, vigilado constantemente, lo tuvo durante la campaña de la sierra, buscando juntos, como dos buenos amigos, comunistas para matar.

Demetrio se distinguió pronto por su infinita crueldad, como si la vida le debiera algo y hubiera que cobrar con sangre las afrentas.

Emboscada por la guerrilla en una cañada al oeste de la sierra, la partida de reconocimiento estaba perdida. Dos días con sus noches aguantaron el asedio; de los doce hombres que la componían, quedaban solo tres.

Dos y medio, para ser exactos, y ningún caballo: Demetrio acariciaba el cadáver de Diablo mientras miraba hacia las alturas, donde entre ramas y piedras escarpadas salía de vez en cuando un tiro que les pasaba rozando. Esa noche sin luna, oscura como la barba de un pirata, Demetrio hizo un gesto con la cabeza a sus compañeros que se habían parapetado detrás de las bestias caídas y desapareció con un cuchillo entre las manos. Estaba allí y, de repente, al siguiente instante, de tan breve, ni siquiera su ausencia.

Al amanecer volvió silbando campechanamente una vieja tonada arcadiana por el medio del camino, como si viniera paseando por el malecón. Traía un pequeño envoltorio de yute colgándole de la cintura; las manos, ocres, como si las hubiera metido en el fango.

Se sentó en el suelo, sonriente, y como un niño que muestra sus planas de deberes y palotes, abrió el envoltorio frente a sus compañeros: siete lenguas cercenadas quirúrgicamente, casi idénticas; siete macabros trofeos.

—Esos hijos de puta ya no dirán nada de nosotros —apuntó y se echó a reír, como si estuviera en el cine viendo una película de Harry Langdon.

«Saco de veneno.»

No pasaba un día en que el Supremo Conductor Nacional no escuchara esas carcajadas a mitad de la noche. Lo extrañaba.

14

Desde las seis y media de la mañana estoy listo, con traje nuevo y corbata azul confitada por pequeñísimos galeones amarillos bordados, zapatos negros. Fumo en los jardines mientras llega la hora de ver al líder en su despacho; advierto a un par de pavorreales que caminan con las plumas extendidas por entre los setos, displicentes y monárquicos. Más allá hay una jaula llena de papagayos multicolores que hacen un divertido escándalo mientras pelean alrededor de un platón rebosante de semillas de girasol. Alguien, en mi infancia lejana, me dijo que en el Palacio Presidencial había un foso con leones y que allí echaban a los desafectos al régimen. Toda la vida pensé que era cierto, ahora mismo esbozo una sarcástica sonrisa.

El día está un poco nublado y eso hace que no se sienta tanto el calor habitual. Me llevé una sorpresa al descubrir que en mi bungaló hay aire acondicionado: primero lo puse bajo pensando en la enorme cantidad de electricidad que consumía y un rato después, feliz al descubrir que no soy yo quien paga esas cuentas, lo subí al tope. Vivo en una sucursal de la Antártida y dormí por primera vez en mi vida como un bebé, arropado por mantas que nunca había usado en mi tropical nación.

Me tocan suavemente en la espalda; es el Supremo Conductor Nacional que me saluda con un breve movimiento de cabeza.

—Buenos días, señor. —Yo también hago el gesto.

—¿Le gustan las aves? —dice mirando alrededor.

—Sí, mucho.

—A mí también, aunque no todas. Las palomas, por ejemplo, siempre me han parecido ratas voladoras, andan sobre los desperdicios y cagan en las estatuas; una plaga.

Me quedé un tanto sorprendido al oírlo decir «cagan», son palabras que no imaginaba en su boca.

—Tiene razón —le respondo condescendiente.

—No, no siempre tengo razón y ese es el problema: necesito gente honesta que no me dé por mi lado, que me diga lo que piensa y no lo que quiero oír —explica y mira hacia las nubes.

Estoy a punto de decirle «Sí, señor» y me contengo por poco.

—Un párroco de la iglesia de Nuestra Señora de lo Concreto dice que las palomas son el Espíritu Santo —digo por seguir la conversación.

—Los curas piensan cosas muy raras, sus dogmas los hacen ser esclavos de sí mismos. Confío mucho más en los astros. Por cierto, lo de Taiwán salió muy bien; Odonojú tiene algo para usted, por sus consejos.

—Estoy para servirle —contesto y de algún lado de mi mente, la parte que seguramente no controlo y me hace decir cosas sin proponérmelo, abundo—: Y para contradecirlo cuando sea necesario.

Veo un mohín de disgusto en su rostro y de inmediato esa media sonrisa de complicidad que ya voy conociendo poco a poco.

—Bueno. Dígame el horóscopo del día. —Encamina sus pasos hasta una banca metálica, donde se sienta; si alguien nos viera desde lejos, pensaría que somos dos viejos amigos charlando.

—El planeta guerrero sigue bien aspectado sobre Escorpión; hoy es un buen día para arriesgarse. Su número de suerte es el nueve. Evite tener discusiones con personas de Leo. El mejor momento del día es cuando se ponga el sol. Si lo contradicen, escuche con atención y no se sulfure.

El Supremo Conductor Nacional sonríe, ahora sí franca y abiertamente.

—Me gusta su estilo, Señor Delfos. Usted y yo nos vamos a llevar muy bien. —Me da en la espalda una sonora palmada de militar, el eco resuena en los jardines y casi me voy de bruces al suelo. Me deja ahí, con los dos pavorreales que me miran como si yo fuera un imbécil total.

Nuevamente de la nada, de otra dimensión, de un agujero que no había visto en la tierra, de detrás de un árbol, no lo sé, aparece Odonojú: se mueve como una de esas serpientes de agua que hay en los maizales, avanza ondulante hacia mí con sus gafas de fondo de botella que lo hacen ver el mundo mucho más grande de lo que en realidad es; tal vez si supiera que vivimos en una islita le daría un infarto. Se acerca mucho: le saco por lo menos una cabeza. Me habla al oído, como los novios a las novias en los cines. Se pone tanta brillantina en el pelo que parece que lo tiene cristalizado; tiene una voz tipluda, alarga las eses:

—El Jefe está muy contento. Ayer firmó con los taiwaneses; un negocio redondo —señala y pone subrepticiamente, como quien da un billete a un policía de tránsito mientras mira a otro lado, un sobre en mi mano. Pesa y sin embargo no abulta nada; lo pongo de inmediato en la bolsa de mi saco.

—¿Usted ha visto *Casablanca*, la película? —me pregunta.

—Por supuesto —contesto con sequedad; me siento como uno de esos burócratas que por unos cuantos caribes son capaces de vender a su madre y envolverla para regalo. Quiere ser amable pero no lo logra del todo, es como si preguntara el precio de un ventilador de techo.

—Pues bien, este puede ser el inicio de una bella amistad —se despide poniendo una mano en visera sobre los ojos, imitando un saludo militar de tal modo que parece una mala broma; camina serpenteando por los jardines y con enorme desagrado lo miro irse.

Me voy corriendo pero sin correr hasta mi bungaló. Cierro la puerta de golpe; con la espalda contra ella, confiando en que nadie me mire, sabiendo que nadie me mira, temblando un poco, saco el sobre de mi bolsillo.

Dentro hay un «soberano» de oro.

Yo solo los había visto en el Museo Nacional. Pesa un montón: con eso se puede comprar un auto.

Voy resbalando por la puerta con la espalda y acabo sentado en el suelo, asustado. Me pongo a llorar como cuando era un niño y había truenos, no sé si de felicidad o de miedo.

Apuntes para contar una isla

El inicio del siglo XX fue determinante para Arcadia. Después de muchos años de gobiernos conservadores que estuvieron allí por costumbre, porque nadie más se postulaba, porque el servicio público no era del todo bien visto, los liberales volvieron al poder.

Y con ellos llegó la luz eléctrica.

El 2 de enero de 1901, a las ocho en punto de la noche, el presidente en funciones, don Alderrabán Bechilani, de obvia ascendencia libanesa, nieto de emigrantes de Beirut, desde el balcón de la Casa de Gobierno bajó la palanca conectada al generador de la Compañía de Luz y Energía de Arcadia que estaba a tan solo a tres manzanas de distancia, en un gran edificio de ladrillos rojos, y después de una serie de chirridos y zumbidos miró, a la par que todos los sorprendidos habitantes de la capital, cómo la plaza mayor se iluminó cual si fuera de día.

Nadie durmió esa noche, asombrados como estaban, viendo el rayo que había quedado capturado en esos filamentos protegidos por carcasas de cristal en lo alto de los faroles de bronce con motivos griegos, fundidos en la Ciudad de México.

Miles de polillas y mariposas, confundidas por el repentino sol que salía de las esquinas de la plaza, ofrendaron sus vidas ante el ingenio del hombre y murieron electrocutadas queriendo tocar ese trozo de eternidad, como modernos Ícaros que buscaran acercarse al poderoso astro rey. Al día siguiente, los basureros del cuerpo municipal de limpia llenaron seis barriles de madera (uno por cabeza) con los cadáveres multicolores de los lepidópteros y en un arranque imaginativo los mezclaron con bosta de vaca, haciendo así el abono más poderoso, eficaz e irrepetible por su complejidad del que se haya tenido noticia en el mundo entero. Incluso hoy pueden verse esas flores de colores electrizantes que resultaron de la mezcla con la tierra fértil de los jardines de Palacio, las que surgen cada primavera y permanecen incólumes hasta muy entrado el otoño, causando admiración y sorpresa. Muy pocos saben que provienen, en su origen, del sacrificio multitudinario de caribeñas mariposas y de la potente mierda de las vacas locales.

El caso es que la luz llegó a Arcadia y la oscuridad fue conjurada para siempre. Hay una estatua en el pomposamente llamado «Corredor de la Ciencia», cerca de los muelles, donde puede verse a un sonriente Tomás Alva Edison con una bombilla en la mano.

En el pedestal puede leerse la frase pronunciada por el científico estadounidense cuando logró iluminar la Estación Pearl, en Nueva York, en 1882: «He logrado todo lo que prometí», y debajo, «A Edison, la patria agradecida».

Con la luz vino también el espectáculo.

El primer circo y carpa de variedades llegó a Arcadia en buque de vapor desde Progreso, México, haciendo escala triunfal en La Habana.

Cientos de enormes cajas, carretas, mástiles, jaulas tapadas con lienzos para no arruinar la sorpresa, paquetes, lonas y personas, fueron desembarcados durante la tarde y llevados entre el jaleo de los niños y la admiración de los adultos hasta el «campito», un enorme solar a las afueras de la ciudad, bautizado a la manera latinoamericana que llama pequeñas a las cosas grandes y grandes a las cosas pequeñas. Los trashumantes, ayudados por algunos peones locales, trabajaron durante toda la noche a la luz de las antorchas; a la mañana siguiente se veía desde muy lejos una enorme carpa multicolor coronada por banderas de decenas de países, una más pequeña al lado que daba cobijo a una casa de fieras, y tres o cuatro carromatos habilitados para la venta de algodones azucarados, cerveza, salchichas de dudosa procedencia metidas dentro de un pan, un puesto de recuerdos con carteles y banderines, y otro más donde uno podía probar suerte en los juegos de azar.

Un refulgente letrero amarillo con letras rojas anunciaba «El Fabuloso Espectáculo de los Hermanos Alcoriza», con funciones a las cinco de la tarde y ocho de la noche ¡todos los días! Matiné a la una los domingos, después de misa.

Una serie de cables unidos entre sí, con más de un kilómetro y pico de extensión, llenos de remiendos, conectaban al circo con la compañía de luz. En cuanto caía la noche, cientos de bombillas eléctricas hacían que el lugar se convirtiera en un ensueño, un acto de magia, un faro en medio de la nada que atraía a la gente como mariposas para perecer inmoladas, después de una vida entera de aburrimiento, ante las maravillas allí desplegadas.

Enormes colas de hombres, mujeres y niños se hacían frente a la carpa, todos ellos sonrientes con un par de monedas en la mano, esperando pacientes para poder traspasar el umbral que separaba lo cotidiano de lo extraordinario.

Trapecistas, payasos, un forzudo que levantaba bloques de piedra, una bella contorsionista de ojos rasgados que con cada imposible movimiento elástico provocaba grititos de admiración entre los niños y un cierto picor en las braguetas de los caballeros, un mago que sacaba patos y conejos de una chistera donde parecía que cabía el mundo entero; un espectáculo con tres caballos árabes que daban las gracias arrodillándose y bajando las cabezas de largas crines blancas, una dama negra y ciega que leía el pensamiento y lo mejor de todo, lo más sorprendente, lo imposible: un enorme oso polar que daba vueltas a la pista guiado por su domador y luego, en el centro de la misma, se subía encima de una bola de madera y hacía fantástico equilibrio.

Puck se llamaba el oso polar, como el personaje de *Sueño de una noche de verano*, blanco como la nieve y grande como dos percherones. En cuanto terminaba su actuación era devuelto a la carpa de las fieras donde se tiraba a una mínima pileta de agua y se quedaba allí sin moverse, intentando no morir por los efectos del trópico salvaje que se cernía sobre su grueso pelaje.

El circo estuvo tan solo tres semanas en Arcadia. Todos lo vieron, ricos y pobres, escépticos y crédulos por igual, las autoridades y el pueblo llano; fue un suceso de dimensiones épicas que quedaría para siempre registrado en la memoria de nuestra nación. Y entonces los hermanos Alcoriza decidieron seguir su camino, pero para hacerlo, tuvieron que enfrentar el más grande reto de sus vidas.

Muy ceremonioso, el director de la compañía de luz de Arcadia, don Clemente Merodio, les entregó la cuenta por la inmensa cantidad de energía consumida durante su estancia.

Ni siquiera los fabulosos ingresos por la taquilla de esas tres semanas alcanzarían para pagar, así que tuvo que intervenir el Gobierno.

Después de dos días de intensas negociaciones, varias botellas del mejor ron añejo del país y un par de arrumacos de la contorsionista, el ministro de Hacienda salió de la carpa del circo con un acuerdo inmejorable.

Arcadia se quedaba con el oso polar.

El presidente Bechilani quería matar a su subordinado; pero al mirar de frente durante largo rato a los ojos tristes de Puck, que desde su charco lo observaba impasible, hubo entre ellos una energía invisible y más poderosa que la producida por el generador de luz, la que hizo al presidente cambiar de opinión teniendo una idea, y lo decimos sin sorna, iluminadora.

El oso se mudó a la fuente del Palacio de Gobierno, que fue debidamente enrejada, en tanto decenas de peones comenzaban la construcción del zoológico de Arcadia.

El casi centenario naturalista Rodrigo Bustamante Ybarra, quien había conocido en persona a Darwin durante el segundo viaje del *Beagle* entre 1831 y 1836, y que se hallaba enfrascado desde la juventud en la creación de su *Historiae Naturalis Arcadiae*, ese compendio que daría luz sobre todos y cada uno de los animales y plantas de la isla, fue llamado para asesorar en la creación del hábitat del oso polar, el primer recinto que tendría el nuevo y sorprendente parque.

Haciendo un bellísimo dibujo que hoy se conserva en el Museo Nacional, Bustamante recreó a la perfección los témpanos, la helada tundra, el enorme estanque con oquedades submarinas y plataformas que estarían pintadas de un blanco inmaculado, la cueva donde viviría Puck. Incluso fue más allá: diseñó junto con el inventor oficial de Arcadia, don Alejandro Valderrama, una gran máquina de hielo creada exprofeso para el caso que, oculta en las entrañas del recinto polar, lanzaría un cubo gigantesco de dos metros de largo por uno de ancho cada seis horas hacia el estanque, a fin de mantener una temperatura acorde a las necesidades del pobre oso, que sufría enormemente con los calores.

El diseño mismo del zoológico era una maravilla: dividido en cinco partes de una hectárea cada una, estarían representadas la sabana africana, las junglas subtropicales de la India, las praderas y montañas de Norteamérica, la selva y el bosque húmedo del sur americano, y por supuesto la flora y fauna locales. Y en medio de esta biodiversidad, el recinto polar como una muestra perenne de la universalidad arcadiana.

A marchas forzadas comenzó a construirse la nueva vivienda de Puck, que mientras tanto, abrumado por el calor, dormitaba casi todo el día en la fuente de Palacio y comía a regañadientes los pescados enteros que le ponían en un enorme platón. Desganado y triste, sin embargo, era la delicia de los niños de Arcadia y el orgullo del presidente Bechilani, que mostraba a los asombrados visitantes de las embajadas al «único oso polar tropical» del planeta, ese que debajo de una espesa piel miraba a todos con ojos de congoja, pensando tal vez en esa nieve que jamás volvería a ver en su vida y de la que lo arrancaron siendo tan solo un osezno.

Dos años duró la construcción del magnífico y espectacular inmueble, mismos en los que Arcadia fue la «Tierra de osos» que llevaba, como un augurio, oculta en su propio nombre.

Puck murió la noche previa a la inauguración de su nuevo hogar.

De calor y de tristeza a partes iguales, dicen. Su cuerpo, gracias a las maravillas de la taxidermia, se alza tres monumentales metros en situación de aparente y blanquísima ferocidad a la entrada del Museo de Historia Natural; no hay un solo niño que por tradición, y a escondidas de los guardias y maestros, soporte la tentación de tocarle los testículos. Dicen que trae buena suerte, y de tanta búsqueda de la fortuna, ya no queda ni un atisbo de pelaje en esa zona, tan solo una mancha rosa.

Nunca jamás volvió a vivir un oso polar en el Caribe.

Hoy por hoy, en el zoológico de Arcadia retozan felices dos nutrias canadienses en un universo níveo y mecanizado que cada seis horas deja caer con un *plof*, sobre el agua, ese tronco de hielo que homenajea la memoria del más desconsolado de los osos del mundo.

15

Fumando y caminando mientras sentía la brisa del mar sobre la cara, con la cartera llena de billetes, la vida pintaba cada vez mejor y, según mi nueva profesión, los arcanos que rigen los astros estaban aspectados en tan singular y única manera que auguraban el triunfo de los triunfos.

Y sin embargo una sensación permanente de desasosiego me envolvía como debe cubrir la tierra a los féretros de los difuntos; una que venía por oleadas y sin previo aviso. Nadie me preguntó si yo sabía lo que se supone que sabía: lo de ser un avezado en las artes zodiacales, me refiero. Todos dieron por sentado que era un experto, y con el paso de los días, de eso parece que tengo cara. El espejo me lo ratifica, soy el Señor Delfos, ese que con una mirada enigmática sabe lo que se avecina y puede predecirlo o conjurarlo. Así que soy y no soy, quiero y no quiero, una sonrisa ilumina mi rostro mientras una nube negra va conmigo a todos lados sobre mi coronilla. Soy como el doctor Jekyll y Mr. Hyde pero sin pociones, tan solo bajo el influjo de las estrellas.

Vengo por el malecón, es sábado, fumo un cigarrillo caro, de esos que ya puedo permitirme. Las jóvenes con sus vaporosos vestidos de playa, cortos y etéreos, de flores estampadas, caminan a mi lado; yo vengo deleitado mirándoles las piernas. Recuerdo un poema, uno de los pocos que conozco de memoria, es de José Juan Tablada: «Mujeres que pasáis por la Quinta Avenida/ tan cerca de mis ojos, tan lejos de mi vida...» Es cierto, aplica perfectamente en mi caso. Este nuevo yo que soy no puede ni siquiera acercárseles, a riesgo de ponerme en evidencia y echar al tacho de la basura esta nueva posición en la que voy escalando despacio hacia lo más alto de la cadena alimentaria, allí donde no hay predadores porque todos lo son y en las hileras enormes de dientes se les nota.

Me siguen.

Son dos hombres altísimos, descuellan entre los paseantes, vestidos con idéntica guayabera color crema, lentes Ray-Ban de arillo dorado, zapatos negros y lustrados, calcetines blancos. No quieren pasar desapercibidos, quieren ser notados; van quince o dieciséis pasos detrás todo el tiempo, incluso se parecen entre sí, son altos, negros, fuertes. Típicos ejemplares de la guardia presidencial. ¿En qué lugar estará el criadero de donde salen estos especímenes?

Me detengo súbitamente para ver cómo reaccionan, como un camión frente a un semáforo en rojo; se detienen de inmediato. Giro la cabeza para verlos y ellos se miran entre sí, mueven la boca como si charlaran, como dos viejos amigos, como dos gotas de agua que se encontraran de repente en una catarata, por casualidad, después de tanto tiempo...

Son pésimos actores. Yo, que tengo buen oído, me doy cuenta de que no salen palabras de su boca, tan solo gesticulan y lo hacen mal, como muñecos de ventrílocuo a los que desde las entrañas se les jala un cordel para que las mandíbulas se muevan en una torpísima imitación de lo que los humanos hacen de manera natural. Se detuvieron tan bruscamente que un vendedor de diarios ha chocado contra la espalda de uno de ellos, contra un muro, rebotó y cayó de culo al suelo, sus periódicos están desperdigados a un lado, los va recogiendo despacio mientras un brillo de odio profundo y al mismo tiempo resignado surge en sus pupilas. El muro ni siquiera lo mira, ni se disculpa ni se mueve, sigue abriendo la boca y formando con los labios palabras inexistentes.

Junto a mí hay un vendedor de helados, compro uno de guanábana y lo voy disfrutando pausadamente mientras las chicas siguen mostrándome sus vedadas anatomías. Noto un pequeño revuelo de gente en una de las calles que salen a la plaza; me acerco. No puedo evitarlo, es una tradición arcadiana inmemorial: más de tres personas forman un barullo. En este caso son bastantes más, unas veinticinco; están frente a una casa de un solo piso pintada de amarillo, hay dos policías que intentan impedir que la gente ingrese al domicilio, acaba de llegar una ambulancia del servicio forense, por lo tanto debe haber uno o más muertos.

Me integro al corrillo de mirones mientras el helado empieza a deshacerse en mi mano bajo el intenso sol; la «escolta» se mantiene a unos seis o siete metros, no debe gustarles nada que me vuelva un entrometido más. Le pregunto a una vieja negra que vende yucas qué es lo que pasa.

—Encontraron un muelto —dice caribeñamente con esa costumbre de comerse las erres.

—Ya —respondo, buscando con la vista un tacho de basura dónde tirar el helado que ya impregna todo el dorso de mi mano derecha; ella sabe más de lo que parece a simple vista.

—Es un famoso, un periodista del *Faro*. Don Justo no-sé-qué; apuñalao por la espalda.

A pesar de los cuarenta grados que marca el termómetro, me quedo helado. El cono de guanábana cae de mi mano al suelo. Lo que queda de periodista en mí me dice al oído: «No es una casualidad».

Claro que no lo es.

Siento en la nuca una mirada. No quiero voltear.

Allí están, como dos farallones inmóviles, esos que «cuidan».

Aquellos que saben quién soy se están muriendo: Ferreira, Justito…

Corre un viento helado en medio del bochorno, nadie lo nota excepto yo. Es el aliento de la muerte que ronda.

Apuntes para contar una isla

Poco después de la luz, llegaron a Arcadia otras sorpresas. Sobre un llano cercano al malecón aterrizó el 6 de enero de 1912 un pequeño biplano de color azul del cual se bajó, ante la mirada atónita de un hato de bueyes que alegremente pastaba allí, un personaje estrafalario. Echó resuelto pie a tierra, sacando un poco de polvo, y bajo el incandescente sol de la mañana, haciendo con una mano visera sobre los ojos, escrutó los cuatro puntos cardinales en busca de personas. Al ver la soledad circundante, a no ser por los bueyes que seguían masticando heno sin terminar jamás, el hombre, resignado, se sentó en la escalerilla del avión y esperó.

Si usted hubiera pasado por allí en ese instante, podría haberse reído a carcajadas con el espectáculo. Llevaba el interfecto sobre los hombros un abrigo de piel de foca moteada que no se quitaba a pesar del intenso calor, pantalones tan rojos como la sangre, botas de montar, una camisola negra de cosaco atenazada por un cinturón ancho de hebilla plateada, rematado con la efigie de un águila bicéfala; sobre la cabeza, un quepis tan azul como el avión, de esos que usó durante años la Legión Extranjera francesa en el África conquistada. Perdón, omití contarle, para mayor regocijo, que llevaba en la cara una enorme barba rubia que le bajaba hasta el pecho, y sobre el ojo derecho un monóculo de oro puro sujetado a una leontina finísima que se adhería a uno de los botones de la camisa con un broche imperceptible.

Pasaron así los minutos.

Por fin un par de campesinos armados con machetes, atraídos por la singularidad de la nave, fueron acercándose poco a poco; sonriendo bajo su tupida barba, el piloto esperó y cuando estuvieron a unos cuantos metros, sacó una bandera puesta sobre un palo brillante y clavándola con firmeza en el suelo dijo las siguientes palabras en un claro español sin acento:

—¡Reclamo este territorio, sus costas y sus riquezas, sus aborígenes y lo que se encuentra dentro de sus montañas y sus cuevas, para la Corona que represento y que me ha nombrado su adelantado en los caribes!

Y se quedó unos segundos inmóvil, intentando perpetuarse en las pupilas de los campesinos, para así reclamar a la larga también la posteridad.

Al ver que los campesinos cuchicheaban entre sí, abandonó por un momento la postura y le habló directamente a ellos:

—Entendisteis, ¿verdad?

Y los hombres asintieron a la vez con la cabeza.

La bandera que ondeaba tímida en el palo era de un rojo intenso, con un círculo blanco al centro y un águila bicéfala y doblemente coronada que miraba hacia el norte y el sur de su nueva conquista sin inmutarse ni tan siquiera un poco.

El piloto inquirió de nuevo a los campesinos, que de la perplejidad habían pasado sin transición a una socarrona sonrisa entre los labios.

—¡Llamad pues a vuestras autoridades principales! ¡Soy un enviado de Dios! —dijo en un rapto imaginativo y perentorio.

Los campesinos se postraron al unísono frente a la epifanía que se desplegaba ante sus ojos y... lanzaron, desde las rodillas, sonoras carcajadas que rompieron la solemnidad absurda de esa tarde de bueyes rumiantes, aviones azules y águilas coronadas.

Esa misma tarde, confortablemente instalado en uno de los aposentos del manicomio de Arcadia, despojado ya de su abrigo de foca moteada y después de un par de jarras de agua de coco con hielo, el hombre, más tranquilo después de haber pateado, arañado e incluso mordido en un brazo a un enfermero, se sentó en una mecedora de mimbre junto a la ventana con barrotes y accedió a hablar con el director de la institución mental, el doctor Avelino Fernández.

Hemos reconstruido el diálogo en la medida de lo posible, gracias a los apuntes del doctor Fernández y a las notas periodísticas que profusamente adornaron, acompañadas por fotograbados, las páginas de *El Faro del Caribe* de las semanas siguientes.

—¿Está usted bien? —comenzó Fernández la charla.

—Por supuesto que no. ¡No se trata así a un enviado de la corte!

—¿De cuál corte? —dijo extrañado Fernández.

—¡De cualquiera! Los protocolos internacionales exigen decoro, respeto y cortesía, y a ellos me pliego e invoco.

—Esta es una república caribeña. ¿Usted lo sabía?

—¡*Terra ignota* plagada de salvajes!, eso es lo que es, y en nombre del emperador la reclamo —insistía manoteando el personaje.

Fernández, a pesar de ser un especialista acostumbrado a casos difíciles, iba perdiendo poco a poco la paciencia.

—Le ruego que me diga su nombre y a qué imperio dice pertenecer.

—Soy el barón Alexander von Stavenhagen (y lo dijo sin una gota de acento, en un español impecable), enviado por la corte de Istria y su soberano Otón Décimo. Tengo cartas credenciales que así lo comprueban fehacientemente.

Mientras hablaba, las cejas de Fernández se arqueaban como dos arcoíris sin cazuela de oro en su base.

Lo encerraron en un cuarto acolchado y mandaron por un lado a un par de campesinos a buscar el maletín del «barón», y por el otro, pusieron al único geógrafo connotado de la república a averiguar dónde coño quedaba la tal Istria, si acaso existía.

En el maletín había pergaminos en blanco, lacres de colores y sellos de plata con el escudo de ese imperio extraño del que nunca nadie había oído hablar y al que supuestamente pertenecían el hombre y su máquina voladora.

Alexander von Stavenhagen se tomó con calma su involuntario encierro y mostró al mismo tiempo un apetito tan voraz que amenazó a los pocos días con destruir las exiguas finanzas del modesto siquiátrico de Arcadia.

—¡Coño, viejo, es que come como león! —decía asombrada la enfermera Margarita Urías a su amigo Silviano, el intendente, mientras sacaba bandejas y bandejas vacías del cuarto del distinguido huésped.

Silviano, un alma noble como pocas, se compadecía:

—Chica, es que viene de tan lejos...

Una semana entera a régimen completo bastó para que Fernández, absolutamente desesperado, fuera hasta la casa del geógrafo en el centro de la ciudad y tocara con violencia la aldaba de la puerta.

—¡Abre, Lizárraga, que solo nos quedan cuarenta huevos para terminar el mes! —gritaba temerario el médico en medio de la calle, ante el asombro de paseantes y de niños que saltaban a la cuerda.

Con una sonrisa de triunfo en el rostro y un libro ajado en la mano derecha, el geógrafo hizo pasar a la salita de té a su interlocutor y comenzó una muy confusa explicación sobre Istria y su paradero.

—Tardé, pero al final encontré el dichoso país. Parece que fue creado en el año 799 de Nuestro Señor, tras la muerte de Erico de Friuli; él era el margrave que custodiaba la llanura de Panonia, misma que daba acceso a Italia y al corazón del imperio carolingio...

—¿Dónde, Lizárraga, dónde? —suplicaba Fernández.

—Calma, amigo, es mucho más complicado de lo que parece. La Marca de Istria cubría los Alpes Julianos y el Carso, al norte del golfo de Kvarner; hacia el año 972 se vuelve parte del Sacro Imperio Romano Germánico y toma el control de la misma Enrique I de Baviera.

—Así que existe…

—Sí y no —decía enigmático y casi divertido Lizárraga.

—Eso es imposible.

—No del todo. Hacia 1400 dejaron de existir las «marcas» y los «margraves» o soberanos de regiones que habían quedado en medio de otros países que por guerra, herencia o conquista migratoria paulatina se habían creado en Europa. Cuando la autoridad secular de los Patriarcas de Aquileia desaparece en 1420, Istria fue dividida entre Venecia y la casa austriaca de Habsburgo. En términos reales, Istria es parte del imperio austrohúngaro.

—Pero no es un país. Definitivamente.

—No, no es un país.

Fernández, con un suspiro, volvió al manicomio y soltó a Von Stavenhagen. No estaba loco y seguía con hambre.

Lo llevaron hasta el Palacio como si de un bicho raro se tratara y allí acabó con tres docenas de canapés y varias botellas del mejor vino francés, reservado a las misiones diplomáticas; el ministro de Exteriores le brindó una visa permanente y la proverbial hospitalidad arcadiana. Se quedó a vivir en una casa de huéspedes propiedad del práctico del puerto y conoció a fondo la historia de nuestro país, que sí existía; muy pronto olvidó sus ansias colonizadoras y gracias a su encanto, cultura y enorme capacidad para aprender idiomas fue nombrado, un año después, ministro de la Aviación. En un país de migrantes, uno más no era excesivamente notorio y mucho menos si se trataba de un rico heredero, pues gastaba dinero a manos llenas. Su ministerio tenía un único aparato, el suyo, y despachaba sus asuntos legales e ilegales en el bar de Los Cuatro Gatos entre sonoras carcajadas y tragos de ron caliente con especias. Todo el mundo lo llamaba muy deferencialmente «barón», y él sonreía y se quitaba el quepis azul al paso de las damas arcadianas, a las que siempre les pareció un personaje galante e incluso apuesto.

Realizó en los siguientes años vuelos de reconocimiento cartográfico, enormemente útiles para definir la cara exacta de la patria, e incluso fumigó, con grandes beneficios, varias plantaciones de mango y cocotales de los alrededores.

Conoció a fondo Arcadia y sus bellezas, y se quedó prendado de una mulata de ojos claros que le dio tres hijos guapísimos y políglotas.

En una solemne ceremonia en mayo de 1917, en el Pleno del Salón de Cabildos, renunció a la nacionalidad istriana y se hizo de Arcadia por propia voluntad. Vivió en la opulencia hasta finales de los años cuarenta, cuando una neumonía fulminante se lo llevó a la tumba con mausoleo de mármol de Carrara incluido, mismo que puede verse en la Rotonda de los Hombres y las Mujeres Ilustres de Arcadia. Es allí, donde, por tradición, todos los nuevos pilotos de nuestra escuela área toman juramento y reciben sus alas en el pecho.

Hoy, a la distancia, sabemos que ni era barón ni venía de Istria.

Paco Zapico era colombiano, traficante de esmeraldas, hijo ilegítimo de un comerciante alemán y de una sirvienta bogotana. Después de un sonado y elaborado fraude contra el Banco Nacional, robó el avión de la escuela donde había aprendido a pilotar y con una bolsa repleta de joyas recaló en nuestra isla, donde acabó siendo una gloria nacional.

Queda de su memoria la «playa de Istria» y el avioncito azul en el patio central del Museo de la Patria. Nadie se atreve a defenestrar su recuerdo.

En Arcadia los pícaros son héroes; y los asesinos, presidentes vitalicios.

m

El *Supremo Conductor Nacional estuvo una vez en México, en su juventud; era una enorme ciudad llena de palacios coloniales y colores que estallaban por las calles. Tres días asistió a una Cumbre Intercontinental de Seguridad junto con un montón de militares de diversos rangos y colores que hablaban sobre las amenazas latentes que ponían en riesgo las estabilidades nacionales; a saber, el fantasma del comunismo, las luchas agrarias, los maestros disidentes, los obreros organizados en sindicatos, los pérfidos estudiantes. En resumen, casi todos sospechosos. Pero él ya lo sabía y los había combatido a todos, de frente o subrepticiamente. Sus sistemas de infiltración en los movimientos sociales habían dado motivo a una charla en el Congreso y fue aplaudido de manera larga y sonora por sus pares. En el bar del hotel sede, muchos generales y coroneles le invitaron copas para celebrar la ponencia de ese joven oficial que sin duda llegaría muy alto por la eficacia y brillantez de sus métodos científicos antisubversivos.*

El reconocimiento de los otros era oxígeno puro que lo inflaba como a un sapo, aunque nadie lo notara a simple vista.

En la mañana libre que les fue concedida a los asistentes a la Cumbre, se fue al Zócalo de esa enorme y bulliciosa ciudad. Admiró la catedral, le compró un rebozo negro de seda a su mujer, un avioncito de madera a su hijo menor y cuando abandonaba esa plaza enorme de concreto que los mexicanos consideran el centro de la patria, se fijó en un hombre vestido de manta, descalzo y con la cara pintada, que le pegaba con un atado de hierbas a otro mientras una breve humareda aromática salía de un platillo en el suelo. «Copal», le dijeron que era, una resina que se utilizaba en rituales de purificación desde tiempos precolombinos.

Preguntando tímidamente, se enteró de que con el atado de hierbas le hacían una «limpia» al hombre, quien muy serio recibía los golpes con los ojos cerrados y los brazos en cruz; así ahuyentaban a los malos espíritus, las envidias, los «trabajos» de magia negra.

En cuanto el chamán terminó, se puso en sus manos.

Fue sintiendo, ramalazo tras ramalazo, cómo se iban alejando de su cuerpo todas aquellas cosas que se podrían interponer en el futuro glorioso que le esperaba.

Al finalizar el ritual, complacido, puso un billete en manos del chamán: cincuenta dólares. Debió de ser más que suficiente; una sonrisa en la cara del indígena le iluminó el rostro como si fuera la mismísima luna y lo motivó a darle algo más. Se acercó a él, y al oído le hizo una confesión que no recibían los clientes habituales:

—El zorrillo es tu nahual; tu animal protector, tu otro yo.

Será por ese momento mágico e irrepetible que en Arcadia la única especie protegida por decreto presidencial es el zorrillo, y la pena por atentar contra ese animalito es cadena perpetua.

16

Por lo visto una de las máximas tradiciones arcadianas es la de la celebración, el guateque, la fiesta por todo o por nada, por motivos laicos, religiosos o herejes, donde se baila hasta desfallecer y se bebe hasta perder el sentido. A la mínima provocación se cierra una calle, de la nada aparece un conjunto musical, una olla enorme donde al crepitar del aceite de coco se fríen plátanos, yucas, patos, pavos, gallinas, cerdos u otros animales que solo se comen en estas latitudes. Un vecino baja una botella de ron añejo, otro un brandy, otro más un par de jarras de limonada; la vecina del siete, un queso holandés recién contrabandeado. Se bebe, se baila, se ríe a carcajadas.

Aparece por allí un ingenuo que pregunta siempre: «¿Qué celebramos?»

Nadie le contesta porque nadie lo sabe a ciencia cierta.

La vida es la que se celebra. Y en casos extremos, incluso la sobrevivencia.

El tema es que todos los días, incluidos los lunes, hay en los barrios unas caderas contoneándose, unos bigotes moviéndose, unos gaznates siendo raspados por el aguardiente, unos pies siguiendo el ritmo del tamborileo.

Y la Casa Presidencial no podría ser la excepción: por lo menos dos veces por semana hay algún ágape, una recepción, un coctel, una mascarada, un té-baile, un sarao. Apareció en mi bungaló, dentro de una enorme caja, un esmoquin que me queda pintado; parezco un pingüino, un mesero, un astrólogo de la corte que no puede decirle a nadie que es un astrólogo. Ya me lo advirtieron, debo decir que soy asesor de la Presidencia, críptica, enigmáticamente. No debo dar más explicaciones si alguien me las pide. El esmoquin es para asistir a las recepciones y mi pase para comer y beber en ellas lo que quiera.

Así se suceden, una tras otra, bienvenidas a embajadores extranjeros, conmemoraciones de batallas ganadas y perdidas, fechas de nacimientos de próceres, celebración de patronos, fuegos pirotécnicos que recuerdan nuestras múltiples constituciones, día de la independencia, de la revolución, de la llegada al poder de nuestro líder.

Nuestro líder...

Cada vez que lo digo en voz alta, o tan solo lo pienso, se me encoge el estómago. Soy su astrólogo y en apariencia es tan ingenuo que me cree todo lo que le digo, o hace como que me lo cree, pero ese mismo que asiente ante las conjunciones de los astros y la influencia de la Luna sobre su destino es al que he visto firmar órdenes de fusilamiento con tal desparpajo que parecería que firma cartas de amor. Tengo la sensación de que las emociones humanas le son ajenas, que dentro de su cabeza solo hay una especie de pantano verde del cual solamente se destilan maldad y ansia de poder, en ese orden, aunque no se note a simple vista.

Dicen que estranguló con sus propias manos a su primera mujer, una humilde pescadera que le estorbaba, siendo él tan solo un oscuro sargento, para poder ascender socialmente. La segunda es una hija de la aristocracia arcadiana, de apellido de prosapia y grandes extensiones de tierra heredadas al sur de la isla, quien le hace chocolate caliente cuando sopla el viento del este, quien constantemente asiente con la cabeza, intentando complacer siempre a su marido, y le ha regalado un par de hijos bobalicones a los que solo les importan los coches de carreras y las portadas de las revistas frívolas.

El Supremo Conductor Nacional no da órdenes verbales ni escritas, maneja el país con la mirada.

Hace un guiño y tres estudiantes se convierten en pasto de tiburones; arquea una ceja y las acciones de la petrolera suben por las nubes; mira por el rabillo del ojo y el ministro de Economía es cesado de su cargo de modo fulminante; baja la mirada y la universidad es cercada por tanques y bayonetas. Y el que interpreta todas esas señas que bien podrían perderse en el aire, que deberían ser no más que gestos en un mundo lleno de pequeñas cosas y en cambio los convierte en sórdidas realidades, es Odonojú. Pareciera que está dentro de la cabeza del hombre, que sabe permanentemente lo que quiere y lo interpreta, transformando sutiles señales en acciones puntuales, en decretos, en horrores.

Por eso nadie mira a los ojos del líder; es lo primero que aprendí viviendo en Palacio. Yo tengo un método: cada mañana, cuando nos encontramos en su despacho o en los jardines, después de saludarlo me concentro en la solapa izquierda de su traje, en la pequeña insignia que lleva siempre en el ojal, ese rosetón de tela minúscula de color azul cobalto con ribete amarillo que lleva al centro una flor de lis plateada. Sé, por boca del propio Odonojú, que pertenece a una orden europea; significa que el hombre es comendador y que además de tener en sus manos los destinos y las vidas de miles de arcadianos, tiene el derecho de tocar la campana de la catedral de Sigüenza durante la Semana Santa para llamar a misa. Pero el hombre desde hace mucho no ha salido de la isla que gobierna, ni a Sigüenza ni a ninguna otra parte: sabe que si traspasa las fronteras de sus dominios todo se caería como un castillo de naipes, como una pared de arena, como un pastel al que nadie puso levadura, y sin embargo ostenta orgulloso en la solapa la insignia y la porta como si fuese una medalla ganada en la más cruenta de las batallas.

Él mira a través de mi cara y yo, mientras, hablo a la flor de lis, que nunca me contesta.

Hoy se recibe con honores al embajador plenipotenciario de Ruanda, un enorme tutsi de túnica morada que lleva en la mano una especie de pequeño cetro de madera coronado con la punta de la cola de un león. Este tipo de cosas ponen nervioso al Supremo Conductor Nacional; piensa, sin decirlo nunca, que hay ejércitos invisibles que pretenden hacerle algún mal, físico o mental; tan solo una tímida perla de sudor cae por su cuello de vez en cuando, y esa es la que lo delata. Le tiene mucho más miedo a los muertos que a los vivos; será que en su cuenta personal hay muchos más de los primeros que los segundos y los lleva en la espalda como una losa que nadie ve. Yo he notado cómo de vez en cuando, con extrema discreción, saca un ojo griego de cristal azul con pupila negra llamado *Mati*, que sirve para evitar, por supuesto, el mal de ojo: lo frota disimuladamente y luego lo vuelve a poner entre sus ropas.

Me sorprende que un hombre con tal poder sobre vidas y haciendas, omnipresente, crea en esas patrañas. He visto, en los más curiosos rincones de Palacio, signos, símbolos y pequeños objetos que tal vez no signifiquen nada, pero que no dejan de inquietarme. El que más se repite en las esquinas superiores de las puertas de madera, como si fuera un motivo alegórico, es un símbolo geométrico y curvilíneo formado por una hélice de tres brazos en espiral que se unen en un punto central. Lo copio disimuladamente en mi libreta una tarde en que nadie me ve, y recurro a la única persona en esta isla que puede hablarme con sinceridad y que tal vez sepa lo que significa: don Salvador de la Fuente, el dueño de El Ateneo.

Camino por el centro viendo aparadores, deteniéndome aquí y allá, haciendo como que me interesa un traje de lino, un sombrero panamá, un cortaúñas con la imagen de la Virgen María, una batidora eléctrica. Los que me siguen siempre a todos lados van, aburridos como ostras, deteniéndose en los mismos aparadores y mirando las mismas cosas que yo. Intentar deshacerme de ellos doblando súbitamente en una esquina o escondiéndome en un portal es tarea inútil, me queda claro: desde que la ciudad fue trazada, las aceras se hicieron más anchas que en cualquier otro lugar del mundo. Esta es una urbe de caminantes, de perseguidores y perseguidos, no hay dónde esconderse por más que uno lo quiera, así que después de largo rato resueltamente encamino mis pasos hacia la librería. ¿O es delito comprar libros? No, claro que no. Y sé que no van a entrar, se quedarán en la esquina mirando bajo el rayo del sol, como los leones que en plena sabana rodeados de moscas miran pastar a las gacelas durante horas, esperando que alguna de ellas tenga el viento en contra y no los atisbe en el aire.

Don Salvador está en la mecedora de siempre. Tiene entre las manos el primer volumen de la *Historia de las cruzadas* de Steven Runciman y lee dificultosamente, acercando mucho sus anteojos de fondo de botella hasta las páginas. Cuando lo saludo se sobresalta; levanta la cabeza y sonríe.

—¡Muchacho! ¿O debería decir *maestro*? —se burla.

—No joda, don Salvador; soy el mismo de siempre —respondo confundido.

Deja el libro sobre una pila, bocabajo y abierto donde se quedó. Se levanta y me abraza: me habla al oído quedamente, deshilvanando las palabras.

—Te está yendo muy bien, ¿verdad? Pero ten cuidado, mucho cuidado.

Me suelto como si hubiera recibido un golpe de electricidad, una iluminación, un choque contra un tren del oeste; la verdad es que llevo un largo rato sintiéndome como debe sentirse un cordero dentro de una jaula llena de tigres de Bengala. Me recompongo mentalmente, confío en que no lo note. Huele a humedad y a papeles rancios.

—Soy muy feliz en mi nuevo trabajo —digo restándole importancia y rogando que no haga más preguntas comprometedoras; a don Salvador lo considero como un viejo tío que me da libros y consejos.

—Todos somos dueños de nuestro destino. Excepto los esclavos —señala al vuelo don Salvador mientras se pone los lentes sobre la frente.

—¿Quién dijo eso?

—Yo, muchacho, lo digo yo, pero lo sabe todo el mundo.

—Pero soy libre, más libre que los pelícanos del puerto —me escucho a mí mismo decir una mentira como una casa, aún más grande que cualquiera de los horóscopos que invento todas las mañanas.

—Vale, vale. ¿Vienes por letras para el alma, o de trabajo? —una pícara e infantil sonrisa le asoma entre los labios, ocultando esos dientes falsos que le quedan un poco grandes.

Extraigo la libretica de mi saco de lino nuevo y recién planchado (el servicio en mi bungaló es excelente y gratuito), y le muestro el signo que he copiado a volapié en Palacio. Se sonríe.

—¿Qué es esto? —pregunto.

Se mete dentro de su cubil, lleno de textos hasta los topes; no tarda nada y regresa con un libro gordo de pastas duras que dice *I Simboli* en la portada.

—¿Esto? —dice y señala entre las páginas, mostrándomelo:

—Exactamente.

Don Salvador se pone a leer, traduciendo del italiano sin trastabillar:

—«El *trisquel* o *trinacria* celta representa la evolución y el crecimiento. Encarna el equilibrio entre cuerpo, mente y espíritu. Manifiesta el principio y el fin, la eterna evolución y el aprendizaje perpetuo. Es el pasado, presente y futuro. En la forma griega de tres piernas, es llamado *Triskelion*» —concluye y cierra el enorme libro de un golpe, haciéndome dar un respingo. Luego me mira directo a los ojos desde su hipermetropía; yo me quedo enganchado a esos dos planetas que tengo frente a mí y que parpadean inquisitorialmente.

No tengo preguntas.

De pronto me entra una enorme urgencia de irme de allí; no quiero que le pase nada a don Salvador. He visto a uno de los guardaespaldas venir y asomarse por la ventana con disimulo. Tengo que salir de la librería lo antes posible.

—¿Me vende el libro de las cruzadas? —digo mientras lo tomo de encima de la pila; tarda un poco en deshacerse del que tiene en las manos y me lo quita con suavidad.

—No, este no —señala. Sin embargo, en esos segundos pude ver que no era lo que parecía; tenía una cubierta diferente. Estaba leyendo *El recurso del método* de Alejo Carpentier, un libro sobre dictadores prohibidísimo por la dictadura. Me da otro al azar, tomado de una pila distinta, le pago con un par de billetes y me sonríe con tristeza.

Ya en la calle, miro mi compra. Incluso el azar tiene su propósito en la vida: *El príncipe*, de Nicolás Maquiavelo.

Tengo que apresurarme si quiero llegar al sarao en Palacio: va a tocar la Orquesta Villazón, traída directo desde Cuba. Arcadia sigue bailando al son que el Supremo Conductor Nacional hace que suene. Interminablemente.

17

Alguien ha dejado sobre la cama de la habitación mi esmoquin perfectamente planchado, como la ancestral tradición arcadiana demanda. El servicio de lavandería de Palacio es de una eficacia espectacular, no pasan siquiera doce horas cuando la ropa sucia que pongo en un cesto de mimbre, estratégicamente situado junto al baño, regresa a mí doblada primorosamente y siempre con un ligero olor a verbena. Hoy junto con la camisa, la faja, la corbata de moño, hay un clavel rojo pequeñísimo que tiene su propio prendedor para ponerlo en la solapa. Me río en la soledad del bungaló al recordar mis primeros días en este nuevo y suntuoso mundo. En la mesita al lado de la cama hay una caja negra de caoba (o eso me parece) conectada a la electricidad y con cinco botones numerados en orden ascendente; durante los primeros días no me atreví a tocarla, pero como bien dice Oscar Wilde, se puede resistir todo excepto la tentación, así que sin pensar en posibles consecuencias caí en ella y apreté el primer botón. Al instante una música clásica suave y llena de violines armoniosos inundó mis aposentos; recuerdo que una súbita felicidad me invadió e incluso marqué unos cuantos pasos de imaginario baile. Esta nueva vida de privilegios y sorpresas constantes me estaba cayendo como anillo al dedo, bastaba con que me anduviera con cuidado y que el dictador oyera lo que quería oír, para poder hacerme rico, inmensamente rico en muy poco tiempo.

Presioné el segundo botón y no pasó nada; me decepcioné un poco. Diez segundos después tocaron a la puerta de la habitación: un hombre impecablemente vestido con chaleco rojo, mandil negro y corbata de moño me hizo una breve caravana.

—Soy Mariano, su mayordomo. Me llamó, ¿en qué puedo servirlo? —dijo ceremonioso.

Entendí al momento la función del botoncito y me sentí un poco abochornado.

—En nada, gracias —respondí y en ese instante tenté un poco más a mi suerte—. Bueno, sí. Tráigame un martini seco.

—¿Vodka o ginebra? ¿Cebolla o aceituna? ¿Mezclado o batido? —preguntó Mariano solícito y jactancioso, sobrado. Proveníamos del mismo lugar, la barriada, el basural, el pueblo llano, la gleba, la «clase emergente», como en algún momento nos llamó, no sé si con sorna, algún presidente de la república liberal, y sin embargo entre los dos había un abismo: él estaba acostumbrado a este mundo y yo me encontraba tan fuera de lugar como un rinoceronte en una cristalería de Murano.

No tenía idea de que un martini tuviera tantas complicaciones, por lo visto se necesita un manual entero para tomar un trago; solo los había visto de lejos en el bar de El Mirador mientras las falsas rubias platinadas los sorbían en la terraza a la que únicamente podía accederse si uno era socio. Pero antes muerto que mostrarle a mi mayordomo personal la absoluta falta de mundo con que me había dotado el destino, la vida, la sociedad arcadiana, así que respondí todo lo rápido que pude:

—Con gin, aceituna, mezclado. —Y añadí, para mostrar quién mandaba—: Es todo, puede retirarse.

Hizo una pequeña caravana con un mohín casi imperceptible que sin embargo noté perfectamente, dio un par de pasos hacia atrás y se perdió entre la maleza que circundaba mi hogar.

El tercer botón solo bajaba la intensidad de las luces de la habitación a la mitad, dejando todo en una deliciosa penumbra.

El cuarto activaba una pequeña cascada que salía de una pared y terminaba en un estanque lleno de peces de colores a mis pies.

El último era el mejor y el más peligroso de todos; lo descubrí casi al momento. Me tomó más oprimirlo que el tiempo que tardó en llegar a la habitación una muchacha bellísima envuelta en una bata de seda rosa con motivos orientales.

No veo la necesidad de explicar aquí con qué intenciones. Tenía los ojos color almendra y las piernas más largas que haya visto en mi vida. Me tomó de la mano y me guio, como si fuera un ciego, hacia dentro de la habitación; solo diré que nunca bebí el martini que trajo Mariano y que se quedó en una bandeja en la puerta del bungaló. No he vuelto a tocar la botonera desde ese día porque sé que puedo acostumbrarme y la caída desde las alturas, como bien lo supo Ícaro, es fatal por necesidad.

Me calzo el esmoquin y lo corono con el clavelito rojo en la solapa. Mientras avanzo por el camino de lajas que lleva hasta Palacio, voy saludando con breves movimientos de cabeza a los guardias apostados estratégicamente durante todo el recorrido; podría hacerlo de memoria y con los ojos cerrados. No hay escapatoria de este laberinto de Minos en que he sido encerrado por propia voluntad. Recuerdo una frase del poeta John Milton que incesante nos repetía un maestro del secundario que pretendía cosas deslumbrantes de un grupo de muchachitos perdidos en una isla del Caribe: «No creo en la casualidad ni en la necesidad, mi voluntad es el destino». Mentira podrida. Estoy aquí porque se murió Saturna de puta casualidad, acepté el empleo que tengo por necesidad de dinero, de reconocimiento, de ganas de ser otro distinto al que soy. Mi voluntad hoy por hoy es intentar salir vivo de esta empresa inútil en la que me he embarcado sin boleto de regreso. A diario me invento un nuevo horóscopo que debe complacer al Supremo y hacerme parecer un profesional en estas lides: *Querido Escorpión: hay en tu futuro gloria eterna, tienes un país en las manos y un cagadero de oro, disfrútalo mientras puedas.*

Hay algo nuevo en mí, algo que ignoraba absolutamente y que no deja de sorprenderme: mi capacidad de cinismo. Siempre pensé que eso era un defecto de carácter y hoy resulta que es una virtud. Pero es, en mi caso, mucho más, es la tabla de salvación para el naufragio. Digo con total desparpajo cosas que no me creo en absoluto, hablo de constelaciones y estrellas que nunca he visto, hago en mi cabeza conjunciones de planetas y lunas, y le voy trazando al líder un camino imaginario que sigue como un niño va tras una pista de caramelos. Cada vez me sonríe más. De vez en cuando debería poner frases inquietantes en los horóscopos: no todo es miel sobre hojuelas, ni siquiera para el Supremo Conductor Nacional.

Extraviado en estas disquisiciones llego hasta el Washington Ballroom, el gran salón de baile bautizado así por los gringos invasores; lo único que nos dejaron y lo único que se quedó, aparte de una base militar en el oriente a la que nadie de la isla tiene acceso y algunos niños sin padre como yo mismo, hijos bastardos de ojos azules que jamás pudieron reclamar la nacionalidad de sus progenitores porque las madres no los conocían o no podían pronunciar sus nombres y apellidos.

El tintinear de copas producido por los brindis de aquellos que se saben dueños del paraíso es asombroso, como si de un concierto de cristales de Bohemia se tratara. Puede escucharse desde muy lejos; está acompañado por sonoras carcajadas y roces de vestidos largos importados, taconeos de zapatos de por lo menos quinientos dólares y trasiego de platos repletos de canapés. Conforme me acerco comienzan también los olores: perfumes parisinos, *whisky* escocés, puros cubanos, caviar ruso, champaña francesa. Un concierto de naciones para el deleite de los sentidos.

Y resaltando en toda esta algarabía, al fondo de la pista de baile un vestido rojo escarlata, unos hombros de nácar al descubierto, una melena negra, una boca tan roja como el propio vestido. Media docena de moscardones a su lado haciéndole carantoñas, contando chistes malos, presumiendo sus clubes de yates, sus juegos de polo, sus fincas bananeras. Y ella, la dueña de la más espectacular de las sonrisas, los mira sin verlos como si no existieran, como si fueran parte de un paisaje aburrido y gris en la carretera. Al vuelo, tomo de una bandeja un par de copas de champaña y, olvidando quién soy y de dónde vengo, obnubilado, como en un sueño, me dirijo paso a paso hacia el coro. Ella me descubre entre la gente y me sonríe, luego vuelve a mirar hacia el vacío. Freno ligeramente, voy muy rápido; intento deslizarme como hacen en las películas. Estoy seguro de que parezco un pingüino, ahora sí, sin duda, el más torpe de los pingüinos torpes en una duna del desierto, tratando de llegar hasta el oasis. Ella se separa un poco del grupo, da un par de pasos breves y de una fragilidad asombrosa hacia su derecha, y pone la copa vacía en una mesa de servicio.

¡Dios mío! ¿Qué estoy haciendo? Estoy seguro de que no la he visto, ni siquiera en las revistas de sociedad que abundan en esta tierra y que inundan semana a semana los escaparates de las tiendas mostrando a los más guapos, los más ricos, los más famosos, a los más cínicos. La recordaría tal y como recuerdo cada amanecer desde que tengo memoria. Esos ojos verdes no se me hubieran olvidado nunca: han pasado desde este momento a mi archivo mental y se guardarán allí para la eternidad. Sigo caminando hacia ella, me tiemblan las piernas. Jamás en mi vida he sido tan resuelto, más bien mi madre decía que era tímido por naturaleza; parecería que mi nueva personalidad de astrólogo que todo lo sabe y todo lo puede se va adueñando lentamente de mis decisiones. Aquí no soy un bastardo, un periodista menor; soy un asesor de la Presidencia con influencia, muchos ya lo saben e incluso, por las dudas, se apartan a mi paso. Estoy a unos cuantos metros del corrillo y en ese instante por las bocinas se escucha el «ejem, ejem» del maestro de ceremonias, el director de protocolo de la presidencia; los bisbiseos bajan de intensidad y las copas dejan de chocar. Todo el mundo mira hacia el estrado donde está la orquesta y yo, lamentando lo inoportuno de la situación, me doy media vuelta para poder ver y oír lo que sucede, con dos copas de champaña entre las manos.

—Queridos amigos todos: hoy nos reúne una doble celebración. Damos la más cordial de las bienvenidas al doctor Ha Mui Nirigimara, embajador plenipotenciario de la República de Ruanda, que hoy ha presentado sus cartas credenciales ante el excelentísimo doctor Ezequiel Cervantes, presidente de la República de Arcadia...

Un aplauso largo y sólido interrumpe el discurso del jefe de protocolo. No estoy seguro de que sea para el ruandés, quien mira a su alrededor con ojos como platos: creo que todos aplauden en automático al escuchar el nombre del Supremo Conductor Nacional. Yo tengo ocupadas las manos con sendas copas y no hay a mi alrededor una mesita de servicio; si no aplaudo será notorio y tal vez de consecuencias lamentables, conozco por oídas la historia de un ministro de Cultura que fue cesado de modo fulminante por haber bostezado durante un discurso de nuestro líder. Por sobre las cabezas que hay delante de mí veo subir al estrado al Jefe, que barre con la mirada el salón de izquierda a derecha, despacio, como asegurándose de que se encuentra entre aliados y cómplices. Rápido me inclino y dejo las copas en el suelo, tan deprisa que el tiro del pantalón da de sí y la costura se desvanece en el aire, dejando mis calzoncillos al descubierto; me levanto al instante y me bajo el saco todo lo que puedo, para empezar a aplaudir en el momento en que los ojos del líder se posan sobre mí: esboza la minúscula sonrisa de reconocimiento a la que ya me acostumbré, y sigue su recorrido con la mirada. Aplaudo mucho y bien mientras una corriente de aire pasa por mis calzoncillos; supongo que me ruborizo. No puedo agacharme por las copas. No puedo hacer nada, excepto tal vez sonreír más de lo necesario.

—Por otra parte —dice el jefe de protocolo retomando el control de la situación, mientras todavía suenan algunos aplausos aislados—, me es muy grato anunciar que *El Faro del Caribe*, institución señera y tradicional bastión de la libertad de expresión en la isla, pasa desde este momento a tener un cincuenta y uno por ciento de participación gubernamental. Su director, Rómulo Garcilaso de la Vega, nos ha hecho el honor de continuar llevando las riendas de tan importante institución.

Nueva tanda de aplausos, abrazos del director con el dictador (qué pocas letras separan a uno de otro cargo). No me sorprende en absoluto. El diario ya era gobiernista, ahora es del Gobierno, no encuentro diferencia entre una y otra cosa excepto, tal vez, que ahora serán otros los que ganen más plata.

Después de los abrazos de rigor, de los movimientos de cabeza del líder, de su mirada de hielo que recorre los dominios de su potestad, la orquesta arranca con un danzón tan juguetón como este ripio.

Las copas de champaña siguen en el suelo a mis pies; detrás oigo murmullos. Me agacho con las piernas tan abiertas como puedo para recoger las bebidas y así, tan elegante, enseñarles el culo, diciendo sin decir lo que opino de su dinero y sus yates y sus caballos y sus casas en la playa. Un par de *ashhs* ahogados, típicos de señorita arcadiana, me llegan tan suavemente como las ondas del lago cuando tiras una piedra en su centro. Me doy la vuelta y me encamino hacia la beldad escarlata, que ahora me sonríe franca y aprobatoriamente. Le tiendo una copa que ella toma con tres dedos de la mano derecha. Brindo.

—Soy Tim Menéndez, asesor de la Presidencia, a sus pies —le digo, perdiéndome indefectiblemente dentro de sus ojos.

—Helena con hache, Díaz-Mercado con guion, estudiante de comercio internacional —me responde.

—¿Y siempre tiene que dar tantas explicaciones cuando dice su nombre? —pregunto juguetón.

—Sí —contesta parcamente. Todos los que se encontraban hace unos minutos a su lado han desaparecido, están en la pista de baile; han dejado en su lugar a un mesero con una bandeja a rebosar de copas medio llenas. El hombre, de una dignidad pasmosa, no se mueve, pareciera que ha nacido para esto: con las dos manos guarda el equilibrio de la charola y mira hacia el infinito como un guardia real inglés, sin inmutarse. Yo sigo hablando con la diosa.

—La han dejado sus amigos —le comento, provocador.

—No son mis amigos, son los hijos de los amigos de mis padres —contesta desmarcándose—. ¿Y usted qué asesora en la Presidencia, si se puede saber? —contraataca tomándome por sorpresa. Si algo he aprendido en estos tiempos es que, en situaciones sociales, el humor puede sacarte de casi cualquier embrollo.

—Costura y confección, especializado en zurcidos invisibles —de alguna manera no estoy mintiendo, en el fondo eso es precisamente lo que hago; ella se ríe, por supuesto. Nuestras copas ya están vacías, la orquesta ha dejado de tocar. Por un momento siento que estamos solos en medio de la multitud, como en una mala película de Hollywood. Ella se encarga pronto de sacarme del ensueño: me prueba como los niños a las paletas de dulce, es decir, con la boca.

—¿Qué se sabe de los brotes de violencia en el sur? —pregunta a bocajarro.

No tengo la menor idea de lo que está hablando. ¿Hay brotes de violencia en Arcadia? Primera noticia. Estoy fuera de base, como dicen los jugadores de beisbol, a punto de sufrir un *out* en carne propia. Si acaso, sé algo de un par de machetazos a causa de los celos o por una riña de borrachos. ¿A qué se refiere esta mujer?

—El gobierno tiene controlada por completo la situación, son casos aislados —contesto, neutro. Me escucho a mí mismo como si fuera otro el que hablara, tal vez un ministro.

Ella me mira directo a los ojos. Hace un mohín de disgusto que le respinga la nariz.

—Pues nada, habrá que comprar *The New York Times*. Pensé que usted tendría información privilegiada; para enterarse de lo que pasa en este país hay que preguntarle a los que no viven aquí, me queda claro.

La sola mención del *Times* hizo que cayera a sus pies rendidamente enamorado, como un adolescente que no habla una palabra de inglés.

—Usted es Piscis, ¿verdad? —digo aventurándome mientras le ofrezco una nueva copa de champaña.

—No, Sagitario. ¿Por qué?

Apuntes para contar una isla

«¡Duro y seguro!»

Esa fue la frase de campaña de Marcelino Almeida, líder de los ultraconservadores, que podía verse en carteles, hojas volanderas y muros pintados de blanco por toda Arcadia, inundando literalmente al país durante la primavera de 1921.

Hijo de un sombrío y bajito militar, Almeida era recordado como un frío, calculador y pertinaz orador en el colegio de dominicos donde estudió desde muy pequeño. A los trece años, ante la mirada asombrada de los curas y horrorizada de sus compañeros de clase, había lanzado en el patio de la escuela una larga y punzante jaculatoria donde con decenas de argucias retóricas y argumentos en apariencia contundentes, demostraba por qué los hombres blancos (como él y su familia entera) eran, sin lugar a dudas, infinitamente superiores a negros, orientales y mestizos, y por qué el destino de la patria debía por fuerza estar en manos de su raza y de sus pares; habló sin sosiego y casi sin respirar durante doce minutos, expresando muy pocas emociones y muchas evidencias pseudocientíficas. Terminó su extensa parrafada con una frase que lo haría relativamente conocido, que no popular, y que marcaría su porvenir.

—¡No somos iguales y no podemos ser tratados como iguales!

Un par de tímidos aplausos se escucharon en el patio, los de sus amigos íntimos, un gorilón de apellido Maceda, de pocas luces y entendederas, torturador de gatos y de niños más pequeños, blanco como la leche y de alma negra como la noche, y Rafael Reza, su más fiel compañero y seguidor, un breve y hierático personaje, chantajista, intrigante y cobarde que lanzaba flechas envenenadas por toda la escuela y luego sonreía plácida e inocentemente cuando era cuestionado por los frailes. Incluso, aprovechando el apellido del muchacho, los curas se permitían un chascarrillo que solo a ellos les hacía gracia cada vez que lo veían deambular sin rumbo fijo por los pasillos del plantel. Le gritaban: «¡Reza, Reza, que te vas a condenar!» y se tronchaban de la risa mientras el jovenzuelo los miraba con el más recalcitrante de los odios, salido de lo más profundo de su oscura alma.

Llamaron al padre de Marcelino a la escuela. Se encerró con el prefecto durante media hora, y al salir se dieron un fuerte apretón de manos e incluso un abrazo a la vista de todos.

Nadie supo qué se dijeron pero desde ese día un carromato lleno de frutas y verduras traídas desde el sur, manejado por dos torvos campesinos con innegable corte de pelo militar, era dejado cada viernes en la puerta de la bodega de los frailes; no engañaban a nadie y nadie se daba por aludido.

A partir de entonces fue llamado por sus condiscípulos «Marcelino el Intocable», con evidente sorna. Un bisnieto de Fung Long, el prócer, fue a quejarse de las racistas alocuciones del niño, y acabó marchándose de allí con cajas destempladas y con su hijo de ojos achinados a otra escuela más liberal: las remolachas, yucas y mameyes obraban milagros incluso más poderosos que los que podía hacer desde su tumba nuestro padre oriental.

En contraposición a las habituales fórmulas políticas de su tiempo donde competían los rojos liberales y los azules conservadores, a los quince años escasos Marcelino fundaba, junto con algunos de sus secuaces, un nuevo partido, el blanco, donde solo se admitían arcadianos de pura cepa y sangre inmaculada con raíces verificables en aquella España perdida para siempre. La Constitución no contemplaba candado alguno que impidiera que un grupo de niños lanzara una fórmula política; ni tan siquiera el voto estaba vedado para ellos. A nadie se le había ocurrido que los menores pudieran organizarse y lanzarse a una contienda aparentemente reservada a los adultos. Con el dinero de hacendados gachupines, de algunos altos mandos militares y el muy disimulado proveniente de la orden dominica, el partido blanco ganó su primera alcaldía en la remota población de Iridia, un caserío de apenas doscientos habitantes descendientes de europeos que no habían visto en su vida a nadie de un color lejanamente distinto al suyo, y lo peor es que todo empezó como una especie de broma que terminó en la más dramática de las realidades. Ese fue el inicio de una meteórica y estridente carrera que llevaría a Marcelino, triunfo tras triunfo, cuestionables o no, hasta las elecciones presidenciales de 1921, justo cuando el personaje cumplía la mayoría de edad, que ya había sido reglamentada en los dieciocho años como en el resto del Caribe.

Para los comicios de ese año el partido blanco lanzó a decenas de cuadrillas de altos, fuertes y muy caucásicos personajes que recorrieron el territorio nacional de cabo a rabo esgrimiendo argumentos, mintiendo con descaro, haciendo promesas y sobre todo regalando utensilios de cocina, azadones, picos y palas, quinqués flamantes, cajas de cerillos y calendarios de pared con la imagen del candidato impresa bajo su lema de campaña, y también amenazando velada o abiertamente, según fuera el caso, a todos los que encontraron en su camino. Muchos dicen que la mayoría de ellos no eran arcadianos, que nadie los conocía, que hablaban raro, diferente; años después se supo que habían sido contratados y traídos desde Colombia, Dominicana, Nicaragua, Costa

Rica e incluso la lejanísima Argentina después de una cuidadosa y larga selección donde se revisaron antecedentes personales, afinidades políticas y, por sobre todas las cosas, pureza de sangre y ascendencia europea de por lo menos tres generaciones.

Fue la elección más competida de la historia; tan solo cincuenta y nueve votos hicieron la diferencia. Don Bernardo Fernández, el periodista y dibujante liberal, aparente favorito para ganar la presidencia, con lágrimas en los ojos tuvo que reconocer su derrota. «No pierdo yo; pierde Arcadia. Pierde sus libertades y sus sueños. Recuerden que nadie puede ser más cruel que un niño», dijo, y esa misma noche salió de incógnito en un vapor rumbo al olvido.

El joven Marcelino llegó al poder sin que el pueblo de Arcadia supiera qué se traía entre las manos. Los cincuenta y nueve mercenarios extranjeros gracias a los cuales se cristalizó la presidencia y que votaron todos en la misma casilla con documentos falsos, pasaron a formar parte de un cuerpo de élite llamado mordazmente por la población como la mítica guardia persa de Jerjes, los «Inmortales», esos que cuando disparaban sus flechas hacían que se oscureciera el cielo.

A tan solo una semana de asumir el poder, como primer acto de gobierno, un decreto fulminante firmado por Marcelino con esa singular caligrafía llena de garigoles y curvas pronunciadas, sin dar mayores explicaciones, prohibía que se leyera en voz alta mientras las enrolladoras, cortadoras y empaquetadoras de la Real Compañía de Tabacos del Caribe hacían su trabajo.

Fundada en 1690, La Tabaquera, como era llamada popularmente, se preciaba de producir los puros, la picadura, los cigarrillos y tabacos de pipa más aromáticos y finos del mundo. Hasta muy entrado el siglo XVIII, la planta *Nicotiana tabacum*, originaria del continente americano, solo tenía cuatro variedades conocidas: *havanensis*, *brasilensis*, *virginica* y *purpurea*, denominadas así atendiendo a sus lugares de origen. Pero el injerto de tres de ellas, la lluvia de la isla, las condiciones climáticas, la casualidad y un cultivador que nadie recuerda, produjeron una planta especial, única en el mundo y hasta hoy irrepetible o intrasplantable a cualquier otra latitud: la *arcadiana*. Del doble de tamaño de sus primas, más resistente a plagas y cambios de temperatura, con hojas más flexibles y una fronda superior, muy pronto el tabaco de la isla comenzó a ser conocido y apreciado por fumadores de todo el planeta.

La primera descripción del acto de fumar la brinda fray Bartolomé de las Casas en su *Apologética historia sumaria*, escrita en 1566, donde cuenta cómo un grupo de peninsulares mira asombrado a los primeros fumadores del mundo y a la letra dice:

> ... *encontraron en un camino a muchas personas que atravesaban las aldeas, los hombres siempre con un tizón en mano y ciertas hierbas para saborear así el perfume que son hierbas secas envueltas en otra hoja, seca también, en forma de cilindro ahusado y encendido por una punta.*

Por lo tanto fumar era y es un acto totalmente americano, y también una forma de rebeldía contra el imperio de ultramar que sin conocernos ni sabernos pretendía dictarnos normas y conductas.

En La Tabaquera esos aires libertarios permearon rápidamente. Siguiendo el ejemplo de los jesuitas, que durante la hora de la comida en arrobado silencio escuchaban a uno de los frailes leer en voz alta, desde mediados del siglo XVIII las tabaqueras, todas ellas mujeres, exigieron a los dueños de la fábrica que se les concediera el mismo derecho y lo lograron sin aparente resistencia: durante dos horas al día, una de ellas dejaba de picar tabaco, torcer puros o fabricar cigarrillos, para llenar el aire de mágicas palabras, romance, aventuras y desconsuelos, mezclándose con la sutil fragancia de las hojas secas de *arcadiana*, completas o picadas, que lo envolvía todo con un manto embriagador.

Era tal el embrujo de las frases que allí se vertían entre las once de la mañana y la una de la tarde, hora en que las mujeres salían a comer, que muchos habitantes de Arcadia habían hecho de la lectura en voz alta un ritual sin precedente en la isla: ponían sillas en la calle junto a la ventana donde la tabaquera en turno leía, y se les veía desde lejos suspirar, emocionarse e incluso llorar con las aventuras y desventuras de los protagonistas de las historias que todos los días se desgranaban apasionadamente. Y por supuesto, fumaban como locos puritos, cigarrillos, pipas e incluso cachimbas de agua, introducidas en la isla por un argelino que se hizo de oro con la novedad. Fumaban, pues, todos, hombres, mujeres y niños, como si les fuera la vida en ello, y la isla estaba envuelta siempre en una humareda fragante y singular, a la manera de una marca de nacimiento.

Hacia 1912 una de las tabaqueras se había convertido en toda una celebridad local. Ariana Cimarrón fue hija de criada negra y el administrador español de una plantación en el oriente; esa mezcla de colores y de caracteres había logrado destilar a una preciosa mulata de ojos verdes, grupa enhiesta y pico de oro. Desde muy pequeña aprendió sola a leer y pasaba las tardes en la buhardilla acompañada por los señores Dumas, un tal Alonso Quijano que veía gigantes en los molinos de viento e incluso un par de damas que le hablaban desde los dos lados de la balanza social, Fortunata y Jacinta. El caso es que Ariana leía y viajaba a otros mundos sin salir de la cómoda oquedad rellena de paja que se había confeccionado junto a la ventanilla por donde entraba amable el dorado sol de la tarde. Y así fue día tras día hasta que sus padres, los dos al mismo tiempo, con escasos minutos de diferencia, uno en la casa grande y la otra en la estancia de los trabajadores, murieron durante la gran epidemia de tifo del año 87. Ariana fue enviada sin miramientos a la

Fábrica de Tabacos por el nuevo patrón con el manido argumento de que necesitaba un oficio y que en esa casa ya había demasiadas criadas. Si el torpe administrador la hubiera escuchado, si la hubiera visto bien, si se hubiera tomado la molestia de hundirse por un segundo en esos ojos verdes, habría caído rendido a sus pies. Por imbécil no lo hizo, así que la vida entera fue un maldito suspiro que no le bastó para arrepentirse.

Rápidamente la niña de trece años se hizo una mujer hecha y derecha, y cada vez que sacaba a pasear su grupa fantástica rumbo al mercadillo o la pescadería, un coro de silbidos inundaba la calle. Las tabaqueras la tomaron bajo su ala protectora, una hija con treinta madres que le sacarían los ojos con la cuchilla a cualquiera que se atreviera a acercársele. Cortaba, mechaba, almibaraba y picaba tabaco como si hubiese nacido para ello. Y por la tarde, bajo los racimos de hojas puestas a secar en el enorme galerón del beneficio, seguía leyendo esos libros ajados que cambiaba o compraba por un par de monedas de cobre en El Ateneo una vez por semana, a hurtadillas siempre y casi con vergüenza.

Hasta que un día Remedios Mordecai, la jefa de las tabaqueras, casi sin querer la escuchó leer en voz alta allá al fondo, bajo las hojas de tabaco, pensando que estaba sola, y lo que oyó fue a Quevedo, dicho de la más bella de las maneras posibles. El resto de su vida resonaron como copas de cristal, como murmullos de hojas movidas por el viento, como un río fuerte y poderoso, las palabras de ese soneto que «Enseña cómo todas las cosas avisan de la muerte», leído por Ariana como si hubiera sido poseída por el alma del poeta, como si este se hubiese metido en su alma y en sus carnes, en su laringe misma, y contara cómo

> *Miré los muros de la patria mía,*
> *si un tiempo fuertes, ya desmoronados,*
> *de la carrera de la edad cansados,*

por quien caduca ya su valentía.
Salíme al campo; vi que el sol bebía
los arroyos del hielo desatados,
y del monte quejosos los ganados,
que con sombras hurtó su luz al día.
Entré en mi casa; vi que, amancillada,
de anciana habitación era despojos;
mi báculo, más corvo y menos fuerte.
Vencida de la edad sentí mi espada,
y no hallé cosa en qué poner los ojos
que no fuese recuerdo de la muerte.

Arrobada y llena de emoción llegó la jefa tabaquera hasta la muchachita, la tomó de la mano y la llevó al frente de las demás compañeras. Los cigarrillos que se hacían esa tarde tuvieron que ser liados nuevamente porque, empapados por las lágrimas de las damas forjadoras que no pararon un segundo de suspirar, no pasaban por ningún motivo los estrictos controles de calidad que se habían impuesto a sí mismas.

En asamblea, por aplastante y unánime decisión, Ariana se transformó de la noche a la mañana en la lectora «oficial» de La Tabaquera, y el eco, la reverberación, las palabras de los muertos y de los vivos impresas con tinta en papel se volvieron sonora claridad por medio de su voz.

No solo había emoción en sus palabras: uno de los capataces españoles descubrió que allí también tenían un negocio fantástico y puso manos a la obra.

La fábrica abrió, adosado al beneficio donde trabajaban las mujeres, un galerón con amplios ventanales y sillas cómodas y comenzaron a vender boletos para cada una de las «matinés» donde Ariana Cimarrón leía a Dumas, a Balzac, a Victor Hugo, y los arcadianos arrasaron con las entradas. Don Samuel Argudín, rico hacendado, no quiso por ningún motivo perderse las aventuras del tal Edmundo Dantés, que rumiaba su anhelada venganza encerrado en la sombría mazmorra del Castillo de If, y por una cantidad estratosférica para la época compró una silla de primera fila, a perpetuidad.

El espectáculo muy pronto rindió pingües beneficios y las tabaqueras recibían la mitad de todas las monedas y billetes que ingresaban a diario en la taquilla que se había instalado en la puerta de la fábrica, además de un treinta por ciento de los tabacos vendidos, que eran muchos, convirtiéndose así en las obreras mejor pagadas no del Caribe, sino del mundo. Pero, sin olvidar de dónde venían y quiénes eran, todos los días reservaban cinco lugares que ofrecían de manera gratuita a aquellos que no podían pagar y eran asignados por democrática votación. La vocación libertaria de las tabaqueras no podría ser nunca empañada por el brillo del oro: los libros eran seleccionados cuidadosamente por un comité, y siempre se privilegiaban aquellas obras que de una u otra manera tenían un cierto contenido social o dejaban un mensaje igualitario entre los oyentes.

Si usted hubiera estado ahí, si hubiera tenido la fortuna inmensa de escuchar a la Cimarrón, se habría emocionado hasta las lágrimas como otros en su momento, algunos años antes, se prendaron de la famosa Jenny Lind, el Ruiseñor Sueco, en su gira por América, y así sabría que no exagero en absoluto.

Vino pues la prosperidad para las tabaqueras arcadianas, que iban a trabajar vestidas con sus mejores galas, como si fueran a la ópera o a un baile vienés. Si se las veía por la calle, paseando rumbosas, haciendo tintinear sus pulseras y abalorios de oro y plata en las muñecas y en el cuello, podía pensarse que eran damas de alta alcurnia; pero un observador, un avezado observador, se habría dado cuenta de que todas ellas sin excepción tenían las manos manchadas de un tinte ocre oscuro, ese jugo del tabaco que no se quita con mezclas de amoniaco ni con cremas de concha nácar, tanto como si trajeran puestos unos finos guantes de cabritilla importados de Europa. Y esa era su marca, simultáneamente su estigma y su orgullo.

Eran treinta y ni una más. Y todos los días, de lunes a sábado, mientras enrollaban pitillos o picaban hojas de tabaco mechadas con maple canadiense, sonrientes e hinchadas como pavorreales, tenían la fortuna, el privilegio, el goce de escuchar gratuitamente cómo tose en su habitación la famosa Margarita Gautier, arrasada por la tisis y la vida licenciosa, mientras el ramo de camelias va marchitándose poco a poco en un jarrón.

Un par de empresarios teatrales quisieron llevarse a sus escenarios a la Cimarrón, sin éxito. Ella nunca quiso ser famosa, lo repetía una y otra vez, solo quería leer mientras, como decía siempre, «Dios y la vista le dieran licencia y tiempo suficiente». Rechazó con cajas destempladas las fabulosas ofertas que le hicieron. Se consideraba tan solo una tabaquera y allí, junto a sus compañeras, quería pasar el resto de sus días. Un cuarto de las ganancias iban directo a las arcas de la escuela laica y cientificista fundada por las mujeres, llamada «Libre Arcadia» y que atendía exclusivamente a niños sin recursos.

El joven Marcelino Almeida, como todos los jóvenes de su tiempo, sentado en un lugar privilegiado del galerón del beneficio de tabaco, se embebió con las fantásticas aventuras de los hijos del capitán Grant y sucumbió, como todos los jóvenes de su tiempo, a la belleza, la prestancia, los ojos verdes y la voz de oro de Ariana Cimarrón.

Fue un asiduo a esas tertulias y lloró con todos por la suerte de Eugenia Grandet, las desdichas de Jean Valjean y la abrumadora desgracia de Raskólnikov.

Pero en cuanto el virus de la política infestó su cuerpo y su cabeza, vio en esas reuniones un potencial peligro donde fácilmente podía anidar la subversión.

—No hay nada peor que la imaginación para hacer que la gente pierda el tiempo —decía muy ufano, muy pagado de sí mismo, muy en su papel de prócer o de inquisidor en ciernes. Y se dedicó, con todas sus fuerzas, a intentar destruir lo que en algún momento pudo amar.

Con su grupo de esbirros, siendo todavía adolescente, organizó piquetes que hacían escándalo a la hora de la lectura en voz alta y repartían octavillas donde se advertía del peligro que entrañaban esas «lecturas extranjerizantes» de «dudosa moral», «llenas de enseñanzas réprobas que en nada ensalzan a la moral nacional». Tomates podridos, mangos pachuchos, lechugas maltrechas y hasta una que otra calabaza de Castilla agusanada cayeron como maná vegetal del cielo sobre sus cabezas. Sin embargo, los aspirantes a dictadores no se amedrentaban y continuaban día tras día cantando loas a Cristo Rey y exigiendo una patria blanca para blancos de piel y de corazón, y guardaban, sobre todo en la memoria, las caras y los nombres de los que serían considerados desde ese mismo instante como enemigos...

Las lecturas públicas fueron entonces suspendidas para proteger la integridad de todos y de todas, y evitar que las cosas pasaran a mayores. En medio del escándalo, Ariana Cimarrón cayó en una profunda depresión que la dejó completamente muda y esa desgracia trajo consigo, en dos largos años de silencio, que el galerón adosado fuera demolido, las sillas vendidas en un baratillo turco, los ingresos de la fábrica se desplomaron y los asiduos se marcharon al cine, al teatro, al circo o a ver las puestas de sol en Miramar, olvidando de a poco el embrujo de las palabras y el universo que contienen los libros.

Ungüentos, jarabes, emplastos, inyecciones, electromagnetismo, torsiones, masajes, gargarismos y hasta brujería se utilizaron para intentar sanar la garganta de la tabaquera sin resultados. Dos años largos y tediosos pasaron las mujeres gastando sus ahorros para encontrar una cura que no aparecía por ningún sitio, envueltas en un halo opresivo de silencio. Fue cuando aparecieron las vitolas de los puros y las marcas de picadura que luego le darían la vuelta al orbe: si no podían leer, por lo menos rendirían homenaje a los leídos. Los robustos y largos «Balzac», los generosos y aromáticos «Dumas», los puritos «Galdós», el tabaco para pipa «Salgari», los cigarrillos «Dostoievski» y otros muchos autores, se podían adquirir en los estancos y llevarlos para fumar.

Ariana no solo perdió la voz; con ella se fueron también la tersura de su piel, el brillo de sus ojos, la rotundidad de sus carnes. En menos de setecientos días, la muchacha parecía una viejuca de esas que venden pescado frito en el mercado de abastos.

Por otra parte, la carrera de Marcelino tomaba la velocidad de un meteoro. Las ideas retrógradas y racistas del partido blanco iban permeando en ciertas capas de la población y conquistaron mentes débiles que escuchaban los encendidos discursos sobre una patria ordenada, europea, de sangre pura y futuro glorioso, convenciéndose simultáneamente de sus aparentes virtudes.

Viendo el peligro que se avecinaba a pasos agigantados, casi prusianos y de resonancias a taconazos militares, las tabaqueras, casi todas mulatas, reaccionaron deprisa y formaron un sindicato libertario. Una de ellas, Camila Maranguá, tomó la batuta y el atril y volvió a La Tabaquera la costumbre de la lectura en voz alta, pero esta vez los textos que se leían a puerta cerrada iban desde el *Manifiesto del Partido Comunista* a encendidos escritos de Proudhon, Malatesta y Bakunin. Clavado en la pared, se colocó un trozo de madera pirograbado sobre la cabeza de la lectora donde se afirmaba categóricamente: «Todo es de todas», dejando más que clara su filiación y su nuevo compromiso con el mundo. Los administradores de La Tabaquera, asustados ante la revolución que veían crecer ante sus despavoridos ojos, intentaron tomar cartas en el asunto y prohibieron en definitiva la lectura.

Así, a finales de 1920 estalló la primera huelga en la historia de Arcadia, dejando sin tabaco a la isla. Dos semanas de interminables y álgidas negociaciones, la presión de los exportadores, los piquetes de fuertes y valerosas mujeres y la presencia constante de un batallón de la policía en las cercanías, hicieron de la «huelga del humo», como se le llamó entre la población, un movimiento social sin precedentes en el Caribe. El caso llegó incluso a la Asamblea Nacional, donde sin la presencia habitual de las pipas y puritos que inundaban el Congreso, se determinó que la lectura en voz alta era un derecho que sin estar escrito expresamente, estaba consagrado por la Constitución.

Las tabaqueras volvieron más fuertes que nunca a sus labores y su sindicato reclamó y ganó jornadas más cortas, de ocho horas durante cinco días a la semana, salarios más dignos, guardería para sus hijos y sobre todo el derecho a leer, durante el trabajo, aquellos textos que el comité seleccionara, sin injerencia de los patrones o el Estado. Ariana sonreía, escuchaba, pero de su garganta seguía sin salir una sola palabra.

En la primavera de 1921 las cosas cambiarían para siempre.

Almeida toma el poder y su primer decreto, fulminante, veta definitivamente la lectura en voz alta en La Tabaquera.

De nuevo las mujeres salen a la calle, toman la planta procesadora, ponen barricadas en la puerta y se declaran en «huelga permanente».

En esta ocasión no hubo negociaciones. Un batallón de soldados arcadianos dirigido por una docena de Inmortales, bayoneta en ristre y permiso presidencial en mano, apareció por la calle de La Paz y se enfiló hacia las endebles barricadas hechas de sillas, máquinas de cortar, palos y maderas, que precariamente resguardaban la puerta de la fábrica.

Todos sabemos cómo terminó esa historia. Hoy, la muy conocida «masacre de las tabaqueras» se estudia en las escuelas como ese momento crucial que cambió la historia de Arcadia para siempre y resultó en la más sangrienta y masiva revolución de la que se tenga noticia.

Veintiún mujeres muertas, atravesadas como peces, pasaron a ser «heroínas nacionales» y sus cuerpos reposan en la Rotonda de los Hombres y las Mujeres Ilustres de Arcadia.

Nunca se había visto tanto salvajismo en la isla. Seis meses duró la presidencia de Almeida, sostenida a sangre y fuego; uno a uno, los miembros de su cuerpo de élite fueron sucumbiendo de las maneras más extrañas y devastadoras posibles: envenenados, arrojados a los tiburones, dos de ellos crucificados en una loma, otros más pasados a machete. El gordo Maceda fue castrado en un burdel del puerto con una navaja roma y oxidada, y el tal Reza, el sibilino, simplemente desapareció de la faz de la tierra. Algunos creen que fue dado como alimento al león africano del zoológico, pero nadie lo podría jurar.

Almeida, el blanco Almeida, a dos semanas de la masacre se refugió en la casa de su padre militar en medio de la revuelta popular, sin un solo soldado junto a él, y allí murió, como una rata, abrasado en el incendio más feroz que se recuerde.

Por aclamación popular asciende al poder el médico Mardonio Carballo, un liberal querido y admirado por todos e invita a su toma de posesión, como invitada especial en representación de las mártires de La Tabaquera, a una débil, triste y acabada Ariana Cimarrón.

En plena toma de protesta la mujer sube al estrado junto al nuevo presidente y, como si de un milagro se tratara, con una voz fuerte y clara se transforma de nuevo en la joven, bella y lozana tabaquera que fue, llena de sí misma y de sus compañeras muertas. Lee, en voz alta y frente al país entero, con el instrumento poderoso y sonoro de siempre, un texto que aún hoy sigue resonando en las paredes del Congreso, aunque nadie se atreva a repetirlo:

Este es el fin del viejo mundo gubernamental y clerical, del militarismo, del funcionarismo, de la explotación, de los monopolios, de los privilegios, a los que el proletariado debe su servidumbre y la patria sus desdichas y sus desastres.

Que esta patria querida y grande, engañada por las mentiras y las calumnias, se tranquilice entonces.

¡Llamada a aprovechar nuestras conquistas, que Arcadia se declare solidaria con nuestros esfuerzos; que sea

nuestra aliada en este combate que no puede terminar
más que con el triunfo de la idea comunal o con la ruina
de la patria!

   En cuanto a nosotros, ciudadanos, tenemos la misión
de realizar la revolución moderna, la más grande y la más
fecunda de todas aquellas que han iluminado la historia.

   ¡Tenemos el deber de luchar y de vencer!

Ariana Cimarrón termina entre una salva de aplausos y de vítores, de sollozos, y se desploma muerta, como un pájaro sin
luz, en las escalinatas del Congreso.

   Muy pocos saben que leyó, adaptado, el manifiesto de la
Comuna de París de 1871.

   Hoy, entre la enorme oferta de puros con nombres de
autores famosos de la literatura universal que expende La
Tabaquera arcadiana usted puede, si quiere, comprar los es-
beltos, delicados, fragantes «Cimarrones», que según todo el
mundo saben a libertad.

18

Hay revuelo en el muelle: se apiñan hombres, mujeres y niños sobre una de las planchas de madera bruñida a esperar que llegue la lancha que ya ha entrado en la bocana. Las noticias en Arcadia vuelan mucho más rápido que los pájaros. Hoy es domingo. Los domingos mi jefe recibe el horóscopo del día en una bandejita de plata que le llevan a las ocho de la mañana en punto, junto con un jugo de naranja, papaya y limón, hasta sus habitaciones; yo lo escribo la noche anterior a mano, con letra clara y sin garigoles, en un cuadrado de papel que lleva impreso el escudo nacional, jamás a máquina. Sé que después de leerlo lo quema en la chimenea. Nunca he entendido quién tuvo la ocurrencia de poner una chimenea en Palacio: según los reportes del servicio meteorológico nacional, la temperatura histórica más baja registrada en nuestra patria ha sido en el cruento invierno de 1919 en que llegamos a los diecisiete grados centígrados, nada como para encender unos leños, ponerse guantes y beber *brandy* frente al crepitar de las llamas. En Letonia, por ejemplo, con diecisiete grados de temperatura ambiente, habrían salido todos a la playa, semidesnudos y felices, a agradecer lo benigno del clima.

El Jefe jamás deja rastros de lo que le depara el porvenir, y yo tengo así el día libre.

Con guayabera blanca, pantalones de lino, sandalias, toalla sobre los hombros y lentes oscuros, como un arcadiano más que pasea por el malecón, mientras corren escucho a dos niños decir que han pescado al tiburón más enorme del mundo, y todos los que los oyen, como yo mismo, salimos apresurados tras sus pasos.

Hay un gentío esperando la lancha que ya está a unos trescientos metros del muelle; lleva izada la bandera roja que significa que ha pescado. Desde la proa un marinero negro sin camisa agita los brazos, como un cantante de moda, a aquellos que lo esperan en tierra. Ellos responden con pañuelos, con gritos, con un júbilo espontáneo y ensordecedor...

Ya hay seis policías intentando contener a la multitud, liberando el espacio para que la lancha atraque sin problemas. Yo me pongo estratégicamente en el costado opuesto a la aglomeración; el sol cae a plomo, como siempre. Con la toalla me cubro la cabeza: debo parecer un Lawrence de Arabia menos rubio y más tropical, pero nadie me mira. La lancha llega hasta el muelle, el marinero negro tira un cabo y un sinfín de manos lo atrapan en el aire. En el jaleo, una mujer gorda vestida con estrafalarios colores cae al agua haciendo un chapaleo ridículo; brotan espontáneas cientos de carcajadas. Le acercan un palo y sale empapada y sonriente, porque ahora está algunos metros más cerca de la lancha.

Sí, es una bestia enorme la que han pescado, hay que confesarlo: viene amarrada a un costado de la embarcación y cubre toda su longitud. En el Caribe no hay tiburones blancos pero este podría serlo, tan grande como el de aquella famosa película que cuando se estrenó hizo que las playas de Arcadia estuvieran vacías durante semanas enteras.

Le clavan ganchos en las mandíbulas y entre decenas de paisanos empiezan a arrastrarlo hasta la plancha principal del muelle; conforme avanza, la gente se quita de su paso, temiendo tal vez que un soplo escondido de vida en su interior lo reanime y tire una dentellada a mansalva.

Primero quisieron izarlo, como se hace con los marlines y peces vela que atrapan los turistas en verano y que se exhiben impúdicamente, mientras se llenan de moscas, para que los ricos de Montana o Wyoming tomen la foto del trofeo que no pueden llevarse a sus praderas sin mar. El peso es excesivo para semejante alarde. El capitán de la lancha, la cual ahora sé que se llama *Emilia*, organiza una subasta instantánea, temiendo que el sol ardiente estropee su presa demasiado pronto y luego no haya forma de venderlo; grita que allí hay un tiburón de por lo menos seiscientos kilos, ¡más que un toro de lidia! Salen de las bocas muchos *oohhhs* largos y admirados. Los interesados, a empujones, logran ponerse en la primera fila. Alguien le pasa un cajón al capitán y subido allí comienza con la puja.

—¿Quién da mil caribes por esta belleza? —grita haciendo bocina con las manos.

Un par de manos se levantan. Reconozco a don Roque, el dueño de la mayor pescadería de la isla. Otro hombre, vestido con un incomprensible traje gris de tres piezas, levanta un dedito solitario como si pidiera permiso para ir al baño. Nunca lo había visto; lleva un bigote largo y gris, lentes de arillo y un sombrero panamá que le queda grande y que no concuerda con la extraña vestimenta.

Me agencio un agua de piña y albahaca con hielo, puedo sobrevivir a la subasta. Un par de vendedoras de dulces comentan a mi lado que el ridículo hombrecito de traje gris es el director del Museo de Historia Natural: querrá el animal para colgarlo del techo y mostrarlo a los muchachitos de uniforme, de escuelas públicas y privadas, que todos los viernes hacen colas inmensas para luego escribir los deberes de biología y de ciencias naturales.

—¿Mil cien? —pregunta el capitán.

De nuevo las dos manos se levantan al unísono. Es un dineral.

Muy cerca de donde me encuentro, veo a uno de los viejos linotipistas del *Faro* con las manos en visera sobre los ojos para no perderse el espectáculo. Por un instante me invade una súbita necesidad de acercarme a él, darle un fuerte apretón de manos, decirle que a pesar de todo sigo siendo el mismo de siempre; soy tan solo ese hombre que puede asombrarse tanto como él por el tamaño del monstruo marino que yace en el muelle esperando a ser vendido como carne, o embalsamado para que futuras generaciones puedan admirarse tanto como nosotros. Pero no me muevo: he sentido a mi espalda la indubitable presencia de mis cuidadores. Sé que están allí, a unos cuantos metros, observándolo todo como halcones. No quiero que ese viejo linotipista sufra un accidente, prefiero que se vaya a casa con sus nietos y les cuente el prodigio que ha observado de cerca. No me muevo de mi sitio.

—¡Mil quinientos caribes a la una...!

Solo la mano del director del museo está levantada. Es una verdadera fortuna lo que se está ofreciendo por el animal.

El marinero negro del *Emilia* se acerca al enorme bicho empuñando un filoso cuchillo pescadero, y con una pericia espectacular raja la panza del tiburón.

—¡Mil quinientos a las dos...!

Un mundo de vísceras, de peces mordidos, de trozos de redes, de sanguaza y materiales no identificables, se desparrama sobre la plancha del muelle; los pelícanos levantan la cabeza, saliendo de su habitual letargo. El marinero toma algo de entre el revoltijo y lo levanta.

Es una cabeza. Humana.

Un coronel del ejército, vestido de gala, da un paso al frente con una mano sobre la cartuchera donde lleva la pistola. El marinero negro, asustado, deja caer su trofeo entre los restos; se escucha un *plof*.

El militar levanta la voz.

—¡Este animal queda requisado por la Guardia Presidencial! ¡Dispérsense inmediatamente!

Pero nadie se mueve.

El director del museo tiene el dedo levantado; lo baja, tímido, y mete la mano en el bolsillo.

De la nada aparece un pelotón de soldados armados con rifles que hace un círculo alrededor del tiburón, de cara a la multitud silenciosa. El capitán del *Emilia* se baja del cajón y toma del brazo al marinero negro; los dos se van cabizbajos hacia su lancha.

—¿Están sordos? ¡Dispérsense inmediatamente!

Yo me disperso, y mientras camino hacia la calle, voy buscando con la mirada al linotipista, quien ya no está donde estaba.

Nadie hablará en voz alta de lo que hoy hemos visto.

En Arcadia el olvido inmediato es un bálsamo que sirve para conservar la vida.

♏

En Arcadia no hay gatos negros.

En cuanto nace uno, es inmediatamente ahogado en un balde con agua.

Si llevas el cadáver del animalito a la intendencia del Palacio, detrás de los jardines, te dan por él diez caribes contantes y sonantes.

Hay pandillas de niños que salen por las noches, armados con resorteras, esperanzados en encontrar ese tesoro.

Romeo Sinigual tuvo una brillante idea: tomó a los diez gatitos blancos que había parido su gata Flora y los sumergió en una mezcla de tinta china y agua de mar, esperó a que secaran y se fue muy contento, con los cadáveres en una bolsa de yute, a cobrar sus cien caribes.

Apareció muerto al día siguiente, ahogado en la playa.

«Los gatos negros traen mala suerte», dice todavía hoy su viuda, que esterilizó a la gata Flora en cuanto pudo.

Apuntes para contar una isla

Los gobiernos liberales manejaron los destinos de Arcadia con mano suave y apoyaron siempre en el Congreso ciertas reivindicaciones sociales durante toda la década de los veinte, para patentizar que la paz social era una realidad. Los rugientes Ford T espantaban a los caballos en las calles adoquinadas y el primer tranvía eléctrico, amarillo y desafiante, apelaba a la buena voluntad de sus pasajeros cada vez que había de dar vuelta en la calle de Reina porque quien trazó el tendido eléctrico no lo calculó del todo bien. Era un tremendo espectáculo: unos metros antes de tomar la curva el tranvía se detenía y su conductor, don Severino, una celebridad local, tocaba con todas sus fuerzas la campanilla de bronce que llevaba colgada junto a los mandos. Los pasajeros bajaban, muy ceremoniosos, y empujando desde el costado trasero derecho entre todos lo ponían de nuevo en la ruta correcta. Así sucedió durante años y años hasta que desaparecieron el tranvía, don Severino e incluso la calle de Reina.

Arcadia vivía en una época dorada donde inventos y avances tecnológicos llegaban por vía marítima a raudales, dotando a la ciudad de una centralita telefónica, haciendo que se inaugurara la primera estación de radio e incluso se instalara solemnemente un ascensor alemán de rejilla en el único edificio de tres pisos, el del Banco Arcadia, al cual todo el pueblo por uno u otro motivo accedió para hacer ese maravilloso viaje que los situaba de golpe y porrazo en pleno siglo XX y en la terraza desde donde podía verse el mar.

En 1934 un curioso personaje hace su aparición en la vida pública de Arcadia, descoyuntando por un momento el tejido social de la nación entera.

Segundo Catorce se llamaba.

Para los entendidos en la materia, el nombre no era raro. Para el resto de los mortales, tenía resonancias numéricas extrañas y simbolismos desconocidos.

Abandonado con solo días de nacido en la enorme puerta de madera del Orfanato Republicano de Arcadia, fue el segundo huérfano aparecido esa misma fecha, y asignado de inmediato a la cuna catorce. Y así se llamó Segundo Catorce, por obra y gracia de la escueta y sorprendente tabla de las enfermeras laicas que se negaban a bautizar a los niños y que los iban nombrando según su llegada y asignación. Menos suerte tuvieron, digamos, Uno Uno, por cacofónico y de resonancias japonesas, siendo negro como el carbón, o Treinta Treinta, de reminiscencias guerreras y que recordaba a las carabinas utilizadas en la Revolución mexicana.

Segundo Catorce fue un niño reservado que miraba el mundo con ojos desorbitados y preguntaba cosas sorprendentes y no obstante llenas de lógica a las cuales las enfermeras no tenían manera de responder, como por ejemplo, ¿por qué las zanahorias crecían hacia abajo y no para arriba como las plantas normales? Pasaba horas enteras mirando abstraído los caminos que iban haciendo las hormigas o el brotar constante y sin embargo distinto del agua de la fuente, como si quisiera encontrar en esas formas respuestas a preguntas que solo existían dentro de su cabeza. Algunas enfermeras pensaron que el niño tenía un poco de idiota, pero en el aula demostraba una y otra vez su enorme capacidad para la abstracción matemática, su habilidad para el dibujo y su más que bella manera de escribir. En resumen, un niño idiota que podría ser, si se esmeraba, un genio.

El caso es que lo tuvieron en ese orfanato hasta los quince años y le enseñaron un oficio para que pudiera sobrevivir: talabartero. Segundo curtía y entintaba pieles con singular maestría, y luego las repujaba de manera primorosa con pequeños punzones de distintos calibres y un martillo con mango de madera de cerezo.

La primera y titánica obra que llevó a cabo, la misma en que invirtió dos años de paciencia infinita, fue una silla de montar inglesa brocada: un verdadero prodigio de belleza sin par. Fue, por supuesto, la pieza central de la exposición que año con año se montaba en el orfanato para deleite de autoridades, amigos y patrocinadores. En la subasta de objetos de 1932, con el fin de recaudar fondos para la institución, alcanzó la exorbitante suma de tres mil caribes y se la llevó esa misma tarde bajo el brazo un capitán del Estado Mayor presidencial.

La dirección del orfanato le dio a Segundo cien de esos caribes recién cumplidos los quince años, sus instrumentos de talabartería, sus escasas pertenencias, y lo puso de patitas en la calle con un oficio a cuestas y un nombre que sería recordado para siempre en la historia de Arcadia.

Pero al cruzar el umbral del orfanato ya lo esperaba ese capitán del Ejército que se convertiría en su guía y protector durante los años siguientes.

El Martes Negro de la bolsa de Nueva York en 1929 poco había afectado a la economía arcadiana. La crisis mundial no reconocía al pequeño país como propicio para hacer de las suyas; todo lo contrario, el petróleo fluía negro y abundante y era inmediatamente exportado y cobrado en oro, nada de dólares devaluados. Por otro lado, la suntuosidad vegetal y animal de la isla impedía que la gente pasara hambre, bastaba con tirar un anzuelo en el muelle para cenarse un parguito frito en aceite de coco o alzar un brazo lo suficiente para tomar un mango.

No llegó la crisis y sin embargo arribaron nuevas ideas en los barcos que traían casi siempre malas noticias económicas, pero también entre ellas la doctrina de que todos podemos ser iguales, el socialismo.

El gobierno liberal de Francisco Comején miró con ojos de asombro esos postulados que afirmaban que podían «dar satisfacción a las crecientes necesidades materiales y culturales de toda la sociedad y de cada uno de sus miembros sobre la base de desarrollar de manera incesante y planeada la economía nacional, y de incrementar de modo ininterrumpido la productividad del trabajo social».

Ante tamaña posibilidad, de un día para otro se instauró la República Socialista de Arcadia.

Los pobres salieron a la calle a festejar junto a los ricos, que no se habían enterado bien a bien de qué iba esa vaina.

El 6 de enero de 1934 amanecimos socialistas. El sueño de la justa distribución de la riqueza se materializaba en la expropiación inmediata de las industrias petrolera y naviera, que pasaron a ser parte del Estado nacional.

Los ricos dejaron de ver con buenos ojos esa inminente locura, abandonaron los festejos y se fueron a sus grandes mansiones a conspirar junto con la Iglesia y el Ejército.

Antes de que eso sucediera, Segundo Catorce aprendía de viva voz de su mentor, el capitán Ibáñez, quien lo había hecho su ordenanza, la disciplina militar y todas las obligaciones inherentes a su nuevo cargo.

Lustraba botas, correajes, pistolas, quepis, carabinas, sillas de montar; tendía camas, le llevaba la pitanza a su jefe allí donde se encontrara, le daba de comer también al caballo, le pulía las pezuñas, lo cepillaba, le ponía ungüento y vendas en los tobillos, y de tanto limpiar, fregar y atender órdenes, no tenía tiempo alguno para pensar. A las pocas semanas era ya un perfecto soldado que en cuanto oía su apellido gritado a voz en cuello, «¡Catorce!», se ponía en posición de firmes y llevaba marcialmente la mano derecha, rígida, a la frente.

Aprendió también que los soldados vinieron al mundo para mantener el orden establecido, que el uniforme representa a la patria y que solo se tienen que seguir los dictados de los superiores y de Dios.

En la gran explanada del cuartel, todo el regimiento rezaba de rodillas los domingos a las ocho de la mañana en punto, antes de la gran parada militar, y todos juntos comulgaban de mano del capellán Fernández. Primer Regimiento de Caballería de Arcadia. Trescientos elegantes lanceros al estilo victoriano, de casacas rojas y cascos coronados con plumas de papagayo, cada uno con su ayudante de cámara, apoyados por una batería de once cañones de treinta milímetros, un par de ametralladoras Thompson con tripié, y lo más visible: el Jefe Máximo, dueño de vidas y sueños; un coronel en miniatura, sádico y obsesivo al que todos reverenciaban por su osadía y carácter, y que era popularmente conocido como Saco de Veneno.

Odiaba a los comunistas y los buscaba debajo de las piedras para exterminarlos. Arengaba durante horas a sus subalternos acerca de los peligros de esa ajena religión que venía de un lugar que nadie vería nunca y que siempre llamaba «la hereje Moscú» para escupir inmediatamente después al suelo, conjurando el nombre. Decía que esos hombres cohabitaban con el diablo, que comían niños, que violarían a todas las mujeres y repartirían entre los negros los candiles de plata y los relojes con leontina de los abuelos. Una plaga. La encarnación del mal.

Segundo Catorce escuchaba y aprendía mientras un odio caliente y viscoso le subía por el estómago hacia la cabeza semana con semana, apoderándose de los pocos espacios libres que quedaban en su cerebro y donde no había que seguir órdenes a ultranza. Fue una revelación: no podía permitir, por ningún motivo, que esa maldición cayera sobre su patria.

Había encontrado qué hacer con su vida: vencer, con la espada y la cruz, a la hoz y el martillo, costara lo que costara.

El presidente socialista Comején, ya instalado en el delirio de las reformas, nombró a la maestra Yolanda Cartón ministra de Educación ante el horror manifiesto de los machos de la isla. En sus grados primarios la enseñanza se volvió gratuita, obligatoria y laica: entonces respingaron también la Iglesia arcadiana y los ricos que habían fundado escuelas a imagen y semejanza de las inglesas que veían en los periódicos que llegaban desde Europa.

De tanto respingo por todas partes, el gobierno socialista descubrió muy pronto quiénes tenían el verdadero poder. Los créditos con que el gobierno operaba y que provenían de los dos bancos privados de la isla, fueron inmediatamente suspendidos; las tiendas de ultramarinos propiedad de españoles dejaron de surtir alimentos y enseres a la policía nacional, los hospitales públicos, las escuelas...

Comején se vio en la penosa necesidad de dar unos cuantos pasos en reversa. Convocó al Congreso y pidió cancelar los decretos expropiatorios que había firmado tan solo quince días atrás. De allí se fue a *El Faro del Caribe* y al día siguiente, a ocho columnas, anunciaba: «Esto es el socialismo a la arcadiana. Ojo, no todo es de todos». Por la tarde se realizó una gran manifestación en su contra, conformada por los que habían celebrado antes. Entre varias espadas apuntando a su pecho y una sola pared tambaleante a sus espaldas, el presidente salió de Palacio y con enorme valor se plantó de cara a los manifestantes para tratar de explicar los alcances del socialismo arcadiano.

Un muchachito surgió de entre la multitud con la mano extendida hacia el presidente de la república. La Guardia Presidencial intentó cerrarle el paso pero Comején los apartó con un gesto y puso a su vez la mano derecha tendida al aire, esperando el apretón.

Lo que recibió fue un tiro en la sien.

Sin un solo atisbo de duda, Segundo Catorce puso la pistola reglamentaria del capitán Ibáñez en la cabeza del presidente y apretó el gatillo sonriendo enigmáticamente, sabiendo que así pasaría a la gloria y a la posteridad, pensando incluso que Saco de Veneno lo recibiría con un abrazo apretado y le diría al oído: «Bien, muchacho, la patria está a salvo».

Nunca en la bullanguera vida de Arcadia se había escuchado un silencio tan estremecedor. El presidente quedó deshilachado en el suelo en medio de un enorme charco de sangre, y Segundo Catorce, con la pistola aún humeante en la mano, aguardaba los aplausos.

Una lluvia de piedras, palos, zapatos, machetes e incluso una máquina de escribir cayeron sobre él.

«Una cosa es estar en contra, y otra muy distinta matar a traición», dijo después Celeste Orendain, de oficio costurera, que nunca pudo recuperar los zapatos casi nuevos que había comprado en el mercado de Reina y que arrojó a la pequeña montaña que se formó sobre el cadáver de Segundo.

Los militares tomaron el control de la situación unas cuantas horas después. El presidente fue enterrado con honores y Segundo Catorce, más bien los restos sanguinolentos de Segundo Catorce, arrojados, junto con el montón de escombros, a la basura sin ningún miramiento. Ibáñez perdió la pistola y ganó la comandancia de su unidad.

Una junta militar «para salvaguardar la patria» fue establecida. Saco de Veneno fue nombrado ministro de Guerra. Estarían en el poder los siguientes diez años, aunque habían asegurado que solo sería «mientras se nombraba un presidente interino». La primera dictadura de Arcadia se había elevado a las alturas gracias a un talabartero huérfano que está enterrado en ninguna parte.

19

Sin querer he tirado un florero en mi habitación. Soy torpe por naturaleza, y mi torpeza ha dejado al descubierto un micrófono: me escuchan todo el tiempo. Estoy asustado, y es más por pudor que otra cosa. No hablo con nadie. Deben tener horas enteras grabadas de mis sonoros pedos y ronquidos, unos cuantos minutos de jadeos y muchas, muchísimas cintas de las viejas canciones que silbo mientras me baño, me visto o escribo horóscopos. No tengo nada que ocultar porque esta vida nueva me ha quitado lo poco que antes tenía. Me preocupa que descubran que los he descubierto. Debo reponer el florero cuanto antes. Salgo de mi bungaló con las sandalias puestas; son las seis menos cuarto de la mañana, es el cambio de guardia y por lo mismo sé que nadie me verá durante los próximos quince minutos. Pruebo a abrir la estancia de mi lado derecho, la número seis, pero está cerrada a piedra y lodo, las tres siguientes igual. En la número dos hay luz, así que ni me acerco. Oculto entre las tinieblas desando el camino, me acompañan los grillos y alguno que otro sapo gigantesco que se mueve lentamente a mi paso, está comenzando a clarear. Por fin cede una puerta, la del departamento nueve; no me atrevo a encender la luz y sin embargo veo: hay un florero justo en la entrada, uno idéntico al que rompí, sobre una mesita. Lo tomo y estoy a punto de salir con mi tesoro cuando esa primera luz anaranjada del amanecer me hace mirar hacia dentro, tan solo un relámpago, un jirón de la ignominia.

Y eso fue suficiente.

Cerré y corrí hasta mi bungaló con el jarrón entre las manos mientras el sol se filtraba por la montaña, persiguiendo mi sombra.

Estoy seguro de que nadie me vio; repongo temblorosamente el florero y guardo los restos del roto en una bolsa de plástico. Tengo el pantalón del pijama empapado de la pretina hacia abajo. Me doy asco a mí mismo: me lo quito y lo empujo a un rincón. Me meto a la ducha y me doy un largo baño que no logra arrancarme de la mente la imagen de la mujer desollada que acabo de ver; las velas negras, los restos de frutas por el suelo, los cadáveres de gallinas blancas sin cabeza, la estrella de cinco puntas dibujada con sal en el suelo. Todo lo que vi en un segundo y que sé que me acompañará durante el resto de mi vida. Mis lágrimas de puro terror se van a la coladera junto con el agua que sigue cayendo indiferente sobre mi cabeza.

Aquí vive el mal. Y yo, imbécil de mí, en el bungaló número siete.

20

Mis horóscopos son concretos y efectivos. No les sobran palabras. Avanzan siempre en la dirección correcta; hacia donde el Supremo Conductor Nacional quiere que vayan. Hoy, por ejemplo, le aseguré con enorme aplomo que Marte, el planeta guerrero, entraba en conjunción con Escorpión, su signo, por lo que sin lugar a dudas cualquier movimiento táctico se vería recompensado con la más aplastante de las victorias. El hombre me sonrió franca y abiertamente, como si yo hubiera adivinado la jugada que tenía en la cabeza. Es la primera vez que veo cómo sonríe, y me dio un escalofrío. También me tendió la mano, volviéndome cómplice de algo que sin duda sucedería y de lo que yo no tenía la más mínima idea.

Funcionan los horóscopos. En una bolsa de yute enterrada en una jardinera tengo escondidos, como demostración tácita de su efectividad, treinta soberanos: más que suficiente para irme a cualquier parte y vivir sin estrecheces por lo menos diez años, pero el miedo me impide moverme de donde estoy. Miedo a ser torturado, a que me den de comer a las fieras, a terminar mis días en una tumba sin nombre; he visto y oído cosas que estremecerían al mismísimo Edgar Allan Poe, a Horacio Quiroga, a Bram Stoker. Vivo en una jaula de oro, como dirían los clásicos.

Cada vez que me miro por las mañanas en el espejo del baño, noto una ausencia: he dejado de sonreír definitivamente.

Casi no salgo de Palacio, solo de vez en cuando; los domingos me voy hasta el malecón a ver el horizonte mientras cuatro ojos miran mi espalda, sosteniendo la cadena que me ata de manera inevitable a esta isla. La economía arcadiana florece gracias a los tratados con gringos, taiwaneses e incluso daneses que han encontrado más petróleo, más estaño, más oro en nuestra tierra. El dictador incluso ha engordado un poco. El sastre vino hace unos días a tomarle medidas para cambiar todo su ajuar. Nada de ajustar lo que ya tenía; todo nuevo. Veinte trajes negros, doce de gala militar, diez de etiqueta, quince guayaberas de lino. Se podría vestir a un colegio entero.

Hay rumores de que la guerrilla está en el norte, levantando a la gente que no tiene traje; se llaman a sí mismos FALN, (Frente Arcadiano de Liberación Nacional). Parece que entre sus filas hay obreros, campesinos, maestros, mujeres y hasta niños. El buró de prensa de Palacio dice una y otra vez que son inventos, una conjura «judeomasónica-comunista» para desestabilizar al Gobierno. Ni siquiera hay una colonia judía en Arcadia. Por si las dudas, en absoluto secreto dos regimientos con tanquetas de guerra se han ido al amparo de la noche hacia Mambrú. Así que oficialmente no hay una rebelión, pero por si acaso, se tienen las herramientas necesarias para sofocarla.

Hay escasez de zanahorias en Arcadia, es más fácil encontrar turquesas en el mercado. Sin zanahorias no hay forma de hacer puchero arcadiano, tradición de los jueves por la tarde. De repente aparece un buque en el muelle, cargado de la hortaliza hasta los topes. El kilo cuesta el doble que lo habitual; en dos días no queda ni una. Me entero, como me entero de tantas cosas en los pasillos de Palacio, por los cuales paseo libremente, de que el ministro de Economía se forró de billetes con esta transacción. Las zanahorias eran arcadianas, todas ellas habían sido escondidas en grandes frigoríficos en el sur de la isla y costaron centavos, se subieron al barco, que simplemente le dio la vuelta al país en una noche, y acabaron siendo subastadas como obras de arte en los muelles. En cualquier otra parte del mundo, el ministro habría sido condenado por acaparamiento y fraude; aquí, sus pares le daban sonoros manotazos en la espalda, celebrando la hazaña.

Cuando un país comienza a derrumbarse, no hay sonidos de advertencia que indiquen que el desastre se avecina; excepto para los muy duchos en estas cuestiones, que saben la hora precisa en que hay que cambiar sus caribes por dólares y abrir cuentas en el extranjero. Tal vez lo huelan, igual que hacen cuando arrugan la nariz al pasar junto al vertedero del muelle, allí donde las tripas de los peces y la basura del mercado se juntan y se las disputan ratas y marrajos a la orilla del agua turbia y maloliente.

Desde hace unos días evito el camino de gravilla que pasa por el bungaló número nueve; rodeo un estanque japonés lleno de peces dorados y dando un pequeño salto entre un seto de azucenas paso directamente hasta el camino que conduce a Palacio. Siento que si me acerco a ese lugar maldito algo de ese mal se me pegará en la piel para siempre, y ni con baños ni piedra pómez podré arrancarme nunca jamás el humor indigno y cruel que ya tengo en la cabeza ungido como almizcle.

Estoy a punto de cruzar el portón de madera cuando me ataja Helena «con hache» vestida de puro verano, salida de una obra de Shakespeare, solo le faltaría la tiara de flores silvestres ciñéndole la frente; en cambio, unos anteojos negros de diseñador coronan su cabeza descuidadamente, como si hubieran sido hechos para eso.

—¿A dónde, asesor? —pregunta entrecerrando los ojos a causa del sol que va saliendo detrás de las montañas; se baja las gafas y me deja sin poder ver sus ojos verdes. Tiene pequeñísimas pecas que yo no había visto. Es más guapa así, a pleno día, que bajo la macilenta y amarilla luz de los candiles y el tintineo de las copas de champaña.

—Iba a… la biblioteca… pero ya no —mientras lo decía, sentía cómo un letrero inmenso y luminoso se encendía sobre mi cabeza con la palabra «¡Imbécil!» y que todos, empezando por ella, podían leerlo e incluso burlarse a sus anchas.

—Bien, en ese caso, ¿me acompaña a la playa, o tiene que pedir permiso? —dice en tanto sube con la mano derecha la canasta de mimbre en la que descuella una botella de vino y que yo no advertí por haberme perdido dentro de sus pupilas.

Como un moderno Espartaco, me quito resueltamente el saco y la corbata, los dejo sobre un seto del jardín y con delicadeza tomo la canasta.

—¿A cuál playa? —pregunto.

—Una linda —contesta mientras se encamina hacia la reja trasera de Palacio, la que lleva a la calle.

Tiene auto, un descapotable rojo de dos asientos. Maneja como Fangio y además habla al tiempo que conduce: voy atenazado a la agarradera de la puerta con el cuerpo echado hacia mi brazo derecho para que no se dé cuenta de que estoy aterrorizado. Un par de veces he mirado hacia atrás para ver si alguien nos sigue. Imposible, a esta gacela no la alcanzaría un guepardo hambriento en la sabana. Me va contando cosas sobre sus estudios, su familia, sobre lo bella que es nuestra patria y sus paisajes, esa bella patria que pasa vertiginosamente a mi lado y yo, la verdad, poco puedo admirar, son solo jirones de verde y de marrón por un lado y de turquesa por el otro. Frente a nosotros hay un camión inmenso, lleno hasta los topes con plátanos; lo ha intentado rebasar un par de veces y nos hemos encontrado de frente a otros que vienen en dirección opuesta y que tocan el claxon, manotean, nos ponen las luces altas, nos gritan improperios. Helena con hache no se inmuta, incluso les sonríe. Lo único que sé es que vamos hacia el sur, rápidamente.

—Sarabanda —dice mientras detiene el auto frente a un solitario paraje lleno de cocoteros.

—Precioso nombre —contesto dándome masaje en la

mano agarrotada después de una hora de ráfaga automovilística.

—De niña venía aquí con mis amigos. ¿Tiene usted un traje de baño?

—Por supuesto que no. Apenas pude quitarme la corbata.

—No importa, yo tampoco tengo. Y la corbata, en honor a la verdad, era guaja —me responde con ese sinónimo de «fea», tan arcadiano que nadie sabe de dónde proviene a ciencia cierta. Una «niña bien» pero tan isleña como yo, al fin y al cabo. Arruga la nariz. Un latigazo recorre mi espalda.

Caminamos hasta la playa, una sucursal del paraíso. No voy a describirla porque indefectiblemente lo haría cursi; baste con saber que si Dios existiera, viviría allí a sus anchas.

Ponemos un mantel de cuadros rojos, como los de las películas, sobre la arena. En la canasta hay maravillas en forma de delicados bocadillos además de la botella de vino.

—¿Nadamos? —dice Helena, quitándose sin transición el vestido; queda desnuda. Y yo, en segundos, también.

No contesto. Corremos hasta las olas, el agua está tibia; un par de pelícanos nos miran adormilados mientras flotan mansamente. Con vigorosas brazadas que dejan una estela a su paso, aquel sueño de mujer se pone frente a mí.

—Los que se han visto en cueros no pueden seguirse hablando de usted —afirma.

—Como diga —contesto torpemente una vez más, como siempre.

Ella se ríe. Nos besamos, un beso que sabe como deben saber las cerezas que jamás he probado; también sabe a mar y a caracolas. Cierro los ojos mientras su lengua juguetea con mi lengua.

El resto es demasiado íntimo para ser contado. Solo diré que ningún horóscopo del mundo podría haberme advertido del milagro.

♏

Se dice que las brujas no existen, pero de que las hay, las hay.

Durante muchos años, en una casita de techo de dos aguas por el rumbo de Palomar, vivió la más famosa de la historia de Arcadia, doña Cira. Era blanca como la leche y arrugada como un pergamino medieval, tenía una veladura acuosa en los ojos, las manos deformes por la artritis, y una habitación llena de frascos donde flotaban fetos y mandrágoras.

Siempre fue vieja y así la recordaban todos. Odiaba que la llamaran «bruja»; prefería por mucho que se dirigieran a ella con el apelativo de «meiga agoreira».

Según la tradición asturiana y gallega, este tipo de brujas envejecen prematuramente y son capaces de predecir el destino a cambio de indecibles favores. Nadie sabe cómo llegó desde el norte de España hasta la isla, ni cuándo; siempre estuvo allí y los niños cambiaban de vereda en cuanto se cruzaban en su camino y se santiguaban aprisa, confiando en que la mujer no los vería. Pero siempre los veía, y gritaba a todo pulmón cosas que debían ser terribles pero que nadie comprendía.

Para protegerse, los vecinos ponían una escoba con el mango hacia abajo en la puerta de sus casas, llevaban fetiches de azabache al cuello y cada vez que salían entremezclaban el pulgar de la mano entre los dedos índice y medio, haciendo un puño, para ahuyentar el mal de ojo.

Lo cierto es que a pesar de dar tanto miedo, las muchachas preñadas por el varón equivocado acudían en tropel, ocultas entre las sombras, para comprarle un frasquito de una sustancia ambarina y peligrosa que tras ser bebida, mezclada con agua de coco, les sacaba de las entrañas el producto del pecado de una manera mucho menos violenta que la producida por el gancho feroz de las temibles comadronas del hospital católico de Arcadia, quienes realizaban esta práctica mientras todo el mundo miraba para otro lado: moría en el intento una de cada tres y sus cuerpos desaparecían misteriosamente. En cambio, si se actuaba a tiempo, el líquido de la vieja bruja, conocido entre la población como «tónico de Cira», obraba como un poderoso laxante. Como única paga, la mujer pedía un par de monedas y el producto nonato, que conservaba flotando en formol en alguno de los estantes de su casa.

También fabricaba, en el mismo alambique de cobre bruñido, filtros de amor, pócimas de venganza, recetas para el desastre, venenos potentísimos y antídotos contra los mismos, y jamás se equivocaba. También escribía, en un cuaderno de tapas negras, sus rescriptos, ensalmos y conjuros con letra diminuta, como patas de mosca salpicadas en las hojas blancas.

Siguiendo las muy precisas instrucciones de la vieja, cuatro jovencísimos malandrines, huérfanos todos, recorrían la isla buscando lagartos y erizos, arañas diminutas y mortales, plantas extrañas y tubérculos más extraños, conchas marinas y huevos negros de albatros, y eran recompensados ampliamente por sus esfuerzos.

Un cura nuevo, venido del continente allá por los años cincuenta, enterado de las herejías y libertinajes que se llevaban a cabo en la casita de Palomar, un Domingo de Ramos decidió poner santo remedio a tanta locura y habladuría. Después de mucho pensárselo y de leer atentamente los textos sagrados, trepado al púlpito de la iglesia de Nuestra Señora de las Tempestades, optó por acusar a la vieja Cira de simonía. Al ver la cara de sorpresa de sus fieles, un puñado de pescadores y sus familias, tuvo que explicarlo:

—Es un pecado mortal, uno de los más mortales —decía rubicundo e indignado—. Ese por el cual Simón el Mago intentó comprarle a Pedro, el fiel discípulo, el creador de nuestra Santa Madre Iglesia, el secreto mediante el cual Nuestro Señor Jesucristo obraba sus milagros.

Un silencio mortal se cernió sobre el templo. De repente, un brazo curtido y moreno se levantó por sobre las cabezas de la comunidad, pidiendo la palabra.

—Dime, hijo —preguntó condescendiente el cura.

Se levantó un gigante con una guayabera que alguna vez fue blanca, sosteniendo entre las manos un ajado sombrero de palma. Un rumor de crujidos de madera vieja fue llenando la iglesia como una ola al compás de la congregación que iba volteando hacia atrás, en dirección a esa banca. El hombretón, pescador nocturno de calamares, habló tímidamente con una voz tipluda, casi de mujer, que no correspondía en absoluto a la corpulencia y talla del personaje.

—¿Y Pedro conocía el secreto? —preguntó ingenuo.

El rumor de madera regresó, con decenas de caras interrogantes que apuntaban hacia el púlpito.

El cura se puso rojo como si hubiera estado todo el día expuesto a los calcinantes rayos solares de la isla, y su voz tronó como truenan las tormentas mar adentro.

—¡Da igual, pecador, infiel! ¿O sabes tú más que yo sobre pecados?

El pescador se sentó deprisa, se hizo pequeño, desapareció de la vista.

—¡Si-mo-nía! ¡Pecado de pecados! Esa bruja quiere hacer milagros y lo que trae entre manos está contra todos los preceptos de nuestra Madre Iglesia. Mañana temprano iré por ella. —Sin dar siquiera la comunión, seguido a las carreras por sus dos espantados acólitos, el cura se metió refunfuñando en la sacristía con un revoloteo de pliegues de su vestido de dar misa, dejando a todos con los ojos cuadrados.

El cura no fue a la mañana siguiente, ni nunca: murió esa noche entre temblores y sudoraciones. «Malaria», dijo don Raimundo, el médico; una malaria largamente incubada que se desató de súbito. Trajeron otro cura, uno arcadiano, que jamás tuvo la mala idea de meterse ni en público ni en privado con la «meiga agoreira».

Eso que al parecer hizo, pero que nadie puede comprobar que haya hecho, la volvió incluso más famosa que antes. Un par de militares, uno muy pequeño y el otro muy creyente en esas cosas, se convirtieron en asiduos compradores de hechizos, filtros y lecturas de manos a la luz de la luna.

Doña Cira recibió cada quince días, sin falta y hasta su muerte, un sobre lleno de caribes que le entregaba de noche un motociclista que volvía siempre presuroso a esconder su máquina en una de las cocheras de Palacio.

Apuntes para contar una isla

Durante diez años gobernó el país un «Directorio» a la manera francesa pero cuyos cargos eran ocupados por militares a la manera latinoamericana. Se convirtieron en dueños y señores de vidas y haciendas en Arcadia, cambiaron la Constitución decenas de ocasiones según soplaran los vientos y así pasaron a su poder las minas, el petróleo para ser concesionado a empresas inglesas y estadounidenses, los mares territoriales y también los impuestos. Cada vez que un zapatero o un herrero terminaba un trabajo y recibía su paga, sin que nadie supiera por qué medios lograba enterarse siempre, el ministerio de Economía enviaba a un propio, vestido de negro impecable, con una hoja rosa entre los dedos, la que tendía ceremonioso al «receptor económico» y mientras esgrimía una ensayada y velada sonrisa en el rostro, ponía la otra mano al aire para recibir el diez por ciento de la encomienda. La captación de impuestos era inmediata, rigurosa e indiscutible. Incluso las tiendas de ultramarinos grandes, las que se encontraban en pleno muelle, tenían un «cuervo» fijo (llamado así obvia y lastimosamente por la sabiduría popular) que iba apartando en un maletín, durante todo el día e incluso por las noches, el porcentaje que le correspondía al Estado. Personajes siniestros que no cagaban ni dormían ni bebían ni sudaban como el resto de los mortales, armados todos con libretas idénticas donde iban apuntando, uno a uno, los montos de las transacciones que por todo el territorio arcadiano se registraban; debían ser unos quinientos, pero parecían más. Revoloteaban por todos lados y nada se escapaba a su ojo entrenado y avizor que podía ver a leguas el momento en que una moneda o un billete cambiaba de propietario, pues cobraban a diario el uno por ciento de lo recaudado. En una «economía de mercado», como la llaman los que saben del tema, los cuervos estaban instalados con comodidad en el segundo escalón de la cadena alimentaria, solo por debajo de los uniformados y los tiburones.

El ingenio arcadiano pronto encontró la manera de burlar las medidas draconianas para el «pago inmediato», como era llamado legalmente. Comenzaron a aparecer por todas partes los «baratillos de regalo», mercadillos móviles que eran instalados en segundos y desmontados en décimas de segundo. El sistema era simple: el comprador llegaba hasta lo expuesto —pescados, viandas, botellas o vegetales— y preguntaba, señalando con el dedo el producto: «¿Cuánto?» El vendedor contestaba, según fuera el caso: «Siete, o nada»; quería decir que costaba siete caribes el kilo, la botella o el calzado. El comprador tomaba entonces lo que necesitaba y decía: «Nada. Gracias».

No había intercambio de dinero. Era un regalo. Y los regalos no podían ser tasados por la Hacienda. Con lo regalado bajo el brazo, el comprador se marchaba. No había suficientes cuervos para seguir a todos los habitantes de la capital, así que miraban cómo la gente se marchaba sonriente. Pero un par de calles adelante, o al llegar hasta la casa de cada interfecto, eran interceptados por niños rápidos e inquietos, los llamados «colibríes», que aparentaban ser mendigos, harapientos y sucios, y que estiraban la mano extendida pidiendo limosna; recibían siempre dádivas espléndidas, que equivalían al precio exacto de lo adquirido momentos antes, incluso daban cambio. Eran los hijos, sobrinos y nietos de los comerciantes, que habían ideado el singular sistema para esquivar la ley sin romperla. Pero el gusto duró poco: la mendicidad fue prohibida tajantemente. Aquel que fuera encontrado en la calle pidiendo limosna se haría acreedor al arresto por quince días en las sucias y terribles mazmorras de la penitenciaría de la capital, la temible Ipiranga. El levantamiento popular era inminente; se hablaba en corrillos de revolución y de justicia. Un par de «cuervos» aparecieron asesinados, uno de ellos a pedradas.

El impuesto fue bajado al cinco por ciento, la mitad, y como por arte de magia todos se quedaron tranquilos; aumentar gravámenes es terrible, bajarlos es visto como un acto de equidad, de gracia. Incluso los «cuervos» desaparecieron por solemne decreto en 1939. Se puso en cada barrio una caseta de Hacienda donde los comerciantes pasaban, semanal y religiosamente, a pagar lo correspondiente sin chistar. El Directorio estaba más que complacido, se había deshecho de personajes que se quedaban con el uno por ciento de lo recolectado; ahora solo tenían la mitad, pero la mitad completa era toda suya.

La segunda Guerra Mundial, al igual que la primera, pasó desapercibida en Arcadia, como si no hubieran existido; nadie le preguntó al gobierno de la isla de qué lado se pondría, y entre tanto seguían forrándose de oro y mirando para otro lado con enorme prudencia. Ni siquiera el cine, un entretenimiento cada vez más popular, daba cuenta del hecho. Una vez cada seis meses llegaban por barco las películas mexicanas, argentinas, estadounidenses, en rollos recibidos por un emisario del Ministerio de Información que los trasladaba sin escalas en un carro blindado a Palacio y los exhibía en sesión privada a los miembros de la Junta Militar; allí mismo, sobre la marcha, se quitaban los noticieros en celuloide que precedían a las cintas y se lanzaban a la chimenea. Las películas, por su parte, eran por supuesto mutiladas por las manos del censor oficial, un capellán militar que con tijeras benditas en mano quitaba besos, abrazos, escotes, referencias de lo que en el mundo pasaba y que no debían rozar los puros y castos ojos y oídos de los arcadianos. Hubo filmes enteros que sufrieron purificación por la vía del fuego, pero muchos otros fueron escondidos en un sótano de Palacio para deleite privado de algún cinéfilo militar de alto rango; esas cintas constituirían lo que hoy es la Cinemateca de la que tan orgullosos nos sentimos, hay incluso algunas películas que sobrevivieron al paso del tiempo y de los elementos, y que se conservan en la isla en sus primeras versiones en condiciones perfectas, como una copia impecable de *Ser o no ser* de Ernst Lubitsch.

En 1940, reescrita por enésima ocasión, se editó una vez más la Constitución política de Arcadia, donde se declaraba solemnemente que esta sería una patria «libre, católica, apostólica y romana» en la que todos tendrían los mismos derechos y privilegios ante los ojos de la ley, con excepción de «aquellos que por obra, palabra, intención o deseo, atentaran contra las sagradas instituciones; a saber, la Iglesia y/o el Estado constituido». El deseo de cambio era suficiente para ser considerado un enemigo de la patria y fusilado sin miramientos contra el muro que más a la mano estuviera.

Saco de Veneno y el que todavía no era Supremo Conductor Nacional tenían puestos importantes e influyentes dentro del Directorio, el primero como ministro de Guerra y el segundo como jefe del Estado Mayor, dos cargos que brindaban a sus poseedores pingües beneficios y prebendas.

Demetrio Solá, Saco de Veneno, se hizo de una casa a orillas de la capital a la medida, a escala perfecta para su metro y cuarenta y cinco centímetros exactos; una verdadera «casa de muñecas», como decían los vecinos que jamás pudieron entrar para conocerla. Allí el hombre pequeño se sentía a sus anchas, con sillas perfectas en las que no le colgaban los pies y puertas que los más altos tenían que agacharse para cruzar. En el fondo lo que le gustaba era que sus escasos invitados debieran bajar la cabeza en su presencia como un gesto de humillación, como una pequeña venganza contra los genes recesivos. Sobre la chimenea inútil pero que toda casa de rico debía tener para demostrar su estatus, pirograbada sobre una lámina de ébano había escrita una sentencia, el lema que escogió para dejar constancia y privilegiar su intelecto por sobre su altura: «Lo que Natura no da, Salamanca no lo presta». Era un recordatorio nefando, su peculiar manera de decirle al mundo entero que le tenía un absoluto desprecio y que de una u otra manera, cada uno de sus actos venía de la fría cabeza y más gélido corazón de los que hacía gala a diario. Natura lo había encerrado en ese cuerpo pequeño, pero en esa Salamanca personal, su voz y su voluntad hacían las leyes. Para celebrar la apertura de la mina de estaño número catorce en la isla, Solá se mandó a hacer una sala de cine en su casa con diez mullidos asientos de terciopelo rojo a su medida, compró un proyector profesional de treinta y cinco milímetros traído desde Hollywood y una máquina moderna para hacer rosetas de maíz. Todas las noches que estaba en la capital, rodeado de asientos vacíos, ponía la misma película obsesivamente: *El mago de Oz*, producida en 1939, dirigida por Victor Fleming y protagonizada por la jovencita Judy Garland.

Y no era por oír cantar a la actriz esa melosa tonada que insistía en que hay algo oculto detrás del arcoíris, o ver cómo un hombre de hojalata buscaba desesperadamente un corazón: la parte que hacía a Solá vibrar como un niño, que obligaba a su corazón a cabalgar en el pecho sin remilgos, era aquella en que los protagonistas llegaban a la tierra de los munchkins, seres pequeños y perfectos, como él, y en particular cuando una mujercita rubia y adorable, vestida como idílica pastorcita, jalaba en segundo plano la cola del león cobarde.

Soñaba con ella; soñaba con los hijos maravillosos que podría tener con ella.

Escribió a la Metro Goldwyn Mayer para conseguir su nombre, su teléfono, su dirección, y recibió una muy amable carta de un asistente de producción, informándole que esos datos eran confidenciales.

Demetrio Solá jamás sería uno de esos pusilánimes que reciben un «no» como respuesta y se quedan con los brazos cruzados.

Se puso en marcha entonces la «Operación Oz».

Marghareta von Rucker Strickler había nacido en un pequeño pueblo de Sajonia a principios de 1910; hija de una pareja normal (de proporciones normales), la niña creció como cualquier infante y de repente, a los nueve años, súbita y misteriosamente se detuvo en un metro con treinta y dos centímetros. En julio de 1920 emigra a Estados Unidos con su familia y se establecen en Burbank, un suburbio de Los Ángeles, porque su padre, Fritz, había conseguido trabajo muy bien pagado en la Moreland Truck Company como mecánico.

Compran una pequeña casa en la calle Lincoln y la niña escapa de ella tarde tras tarde para ver los foros al aire libre que la First National Pictures había inaugurado en la avenida Olive.

Es allí donde en octubre de 1927 se filma la primera película sonora y hablada en la historia del cine: *El cantante de jazz* con Al Jolson, acerca de un judío que se pinta la cara de negro para interpretar música. Allí también Marghareta es descubierta por el productor Aaron Finkstein, que le ofrece papeles como extra en varias cintas. La chica de diecisiete años está dentro del cine y sabe que nunca será una estrella, pero también que no cualquiera es una perfecta «persona pequeña», no un enano, y eso es algo que se cotiza muy alto en el mundo del espectáculo.

Se rehusaba a hacer apariciones en circos y barracas de feria; le parecía tremendamente humillante ser exhibida como un fenómeno. Cantaba bien, con una voz de soprano modulada y correcta, bailaba con una gracia incomparable e incluso imitaba el canto de diversos pájaros con gran soltura.

Pronto fue apodada «la Muñequita Viviente»: una enorme cadena de jugueterías la usó como su emblema por varios años durante sus ventas navideñas y Marghareta se convirtió así en una pequeña celebridad, literalmente.

Leo Singer, fundador de Singer's Midgets, una *troupe* de diminutos actores, bailarines, magos, cantantes, luchadores y acróbatas, había recorrido gran parte de Europa entre vítores y miradas maliciosas con su fascinante espectáculo, muy digno y novedoso, en el que había también dos jirafas enanas y tres elefantes miniatura. Singer fundó, en el parque de atracciones de Viena, el Wiener Prater, una colonia de personas pequeñas llamada Liliputstaad como homenaje a Jonathan Swift y sus *Viajes de Gulliver*, con enorme éxito de público. Los liliputienses de su compañía lo trataban con el cariñoso apelativo de «Papa» y era realmente un guía para muchos de ellos.

En 1938 Papa Singer viaja con su espectáculo a Estados Unidos y recibe una oferta singular: en seis meses debe conseguir ciento cuarenta personas pequeñas para participar en una película, y recorre el país buscándolas; Marghareta es una de las primeras elegidas. Serán los munchkins en la puesta en escena de *El mago de Oz*.

La película es estrenada el 15 de agosto de 1939 en el Grauman's Chinese Theatre de Hollywood y se convierte en un éxito instantáneo; recauda más de dieciséis millones de dólares y hace que sus protagonistas se transformen en leyendas, incluso Marghareta, a la que le llueven contratos para presentarse en cafés cantantes, teatros y vodeviles, y cambia su nombre demasiado germánico por el de Maggie Rucker, más sonoro y por supuesto mucho más estadounidense.

Se construye una casa a la medida en la calle Mariposa de Burbank y comienza a paladear las mieles del éxito hasta que, el 5 de diciembre de 1942, desaparece misteriosamente sin dejar un solo rastro.

Una de las operaciones de inteligencia más cuidadosas y perfectas en la historia se había llevado a cabo.

Dos semanas después, la mínima mujer entraría al puerto de Arcadia en el vapor Sans Souci, procedente de Nueva Orleans, metida inconsciente dentro de un baúl de ropa de doble fondo.

Como si fuera un regalo de Navidad...

21

Despierto sobresaltado; es de madrugada. Tardo unos segundos en saber bien a bien qué es lo que me ha sacado del sueño. Son las sirenas de los carros de bomberos, más de dos, las conozco perfectamente. Tengo un mal presagio, me levanto de la cama deprisa, me visto a trompicones y salgo a la calle cruzando la verja de metal donde un adormilado militar me guiña un ojo mientras abre la cerradura. De noche, se sabe bien, todos los gatos son pardos.

Hay un resplandor naranja en el cielo oscuro, un jirón de luz en la negrura. El incendio es en el centro, a unas cuantas calles, no más. Con el corazón desbocado comienzo a trotar hacia allí, haciendo un chapaleo con las sandalias de goma que me puse sin darme cuenta; se escucha el *plaf plaf plaf* mientras avanzo. Un nuevo coche bomba rojo me rebasa por la izquierda. Ya puedo ver las llamas desde Neptuno y Curijá, se levantan en el cielo como lengüetadas de un demonio inmenso que disfruta el sabor del edificio. Casi llego, tengo miedo de verlo aunque sé de sobra qué es lo que se está incendiando: El Ateneo.

Hay una pequeña muchedumbre en pijama, en camisón, en calzoncillos; dos policías los contienen tan solo con la mirada en la acera contraria. Todos miran cómo las llamas se comen los miles de libros que allí se atesoran. Los bomberos, con las mangueras en las manos, miran también sin hacer nada. Me acerco, furibundo:

—¡Coño! ¿Por qué no echan agua, mongoles? —le grito a la cara al comandante.

—Estamos esperando, doctor —me contesta con esa manía de decirle doctor a todo el que levanta la voz con cierta autoridad en Arcadia.

—¿A que no quede nada? ¡Carajo!

—Es que es peor. Ya está sofocándose solo.

Me voy sobre él, puño en ristre, para darle entre los ojos. Un brazo enorme y moreno me sostiene la muñeca; es uno de los que me vigilan siempre. Me habla suavemente, como si yo fuera un niño de cría:

—No se comprometa. No vale la pena —dice. Me desguanzo, caigo de rodillas, como si me diera un fulminante ataque de cólera o malaria. Las fuerzas se me van, no me sostengo en pie.

En ese instante, como por arte de magia, el chorro de agua sale de la manguera y apunta a los restos de la puerta de la que alguna vez fue la mejor librería en el Caribe.

Con las manos sobre los ojos enrojecidos por el humo y la rabia atisbo, y todo es infierno. Comienza a clarear.

Dos horas después, el fuego ha sido controlado.

Unos bomberos entran al local destrozado y sacan el cadáver de don Salvador de la Fuente sobre una camilla improvisada, han tenido el buen gusto de taparlo con uno de sus capotes rojos de gala, y a pesar de ello una mano retorcida, casi carbonizada, sale por entre los pliegues de la tela.

Es entonces cuando súbitamente me doy cuenta de que no podré volver a dormir una noche completa en toda mi vida, y es porque el miedo me ha atenazado la garganta y seré para siempre un simple esclavo en una tierra de esclavos.

El incendio fue provocado, lo entiendo. Ya no queda nadie que sepa quién soy ni de dónde vengo; estoy solo en el mundo.

Bajo mis piernas dobladas corre el agua con que se apagó el fuego.

Veo un trozo de papel: es la hoja quemada de un libro que viene navegando en la mínima corriente, no alcanzo a distinguir nada más porque una gorda en camisón se pone frente a mí.

Supongo que el papel se va por el desagüe a mi lado.

♏

Irina, la gitana, sostiene la mano del Supremo Conductor Nacional con la palma hacia arriba. Mira atenta cada uno de los surcos, los pliegues, los trazos del mapa que está allí y que tan solo ella puede ver, fijando certeramente la mirada. El hombre está inmóvil, esperando el destino.

Llegaron con un revuelo de cascabeles y zambombas y bajaron del barco con cuatro carromatos pintados de colores chillones, jalado cada uno por un percherón negro y enorme. Nadie tiene claro de dónde venían; eran catorce adultos y cinco niños pequeños, todos de color almendra y ojos aceitunados. Hablaban en un castellano lleno de erres guturales y las mujeres remolineaban sus vestidos rojos y amarillos en los que brillaban pequeñas monedas de oro hilvanadas a los pliegues.

Hicieron campamento a las afueras de la ciudad, frente al mar y junto al río. Cocinaban en un inmenso perol, la llamada «olla común», conejos estofados en miel que habían cazado previamente con escopetas de chispa, pulpos con aceite de oliva y romero, gallinas con higos y otras delicadezas que jamás se habían visto en estas latitudes.

Por las noches, en un frenesí de panderetas y mandolinas, bajo la luna cantaban en un idioma incomprensible y bello que hacía que los niños se acercaran a curiosear a pesar de las súplicas y regaños de sus madres, que les advertían que los gi-

tanos secuestraban infantes con fines perversos y desconocidos. Lo cierto es que nunca un niño desapareció en Arcadia, por lo menos mientras ellos estuvieron entre nosotros.

En El Faro del Caribe todos pudimos leer un artículo donde se contaba que los gitanos provenían originalmente de la India y que eso podía asegurarse por las raíces fonéticas de su lenguaje. Trashumantes, festivos y conocedores de artes antiguas, se habían instalado en la Europa Oriental a mediados del siglo XV y comenzado una y otra vez su diáspora por el mundo. Los «nuestros», decía el artículo, como si se tratara de algún tipo de plaga, parecían venir de Hungría, eran de la tribu romaní y llamaban «gadyés» a los que no fueran como ellos.

Todo parecía indicar que se quedarían un largo tiempo entre nosotros. El que firmaba el artículo, un tal Rick Alemán, pésimo periodista que cobraba en Palacio, experto en fabricar intrigas sobre pedido, terminaba diciendo que las autoridades migratorias, «laxas como siempre», debían investigar a fondo los papeles de «seres ajenos a nuestras costumbres y tradiciones, que solo vienen a Arcadia a pervertir las mentes sencillas de nuestro pueblo».

Y así fue.

Un piquete de soldados siguió muy ceremoniosamente al oficial de migración del puerto hasta el campamento gitano. En una mesa de roble blanco instalada bajo el sol, el funcionario revisó con atención los pasaportes de todos y cada uno de los integrantes de la tribu y no tuvo más remedio que estampar en ellos el emblema nacional con su sello de tinta morada, dándoles así de manera oficial la bienvenida como turistas, con derecho a permanencia en el país por lo menos tres meses.

El bulibasha del clan, Django Gabor, hizo entonces una ceremonia y depositó delicadamente un montoncito de sal sobre la tierra en los cuatro puntos cardinales que delimitaban su campamento. Mataron tres ovejas y las espetaron

sobre carbones fragantes de albahaca; luego invitaron a los
vecinos a compartir comida y canciones hasta altas horas de
la noche, regando el inicio de la amistad con un vino dulce
que salía interminable, como si de magia se tratara, de una
barrica puesta sobre uno de los carromatos.

A las pocas semanas de su llegada, los gitanos ya eran
parte del paisaje. Aprendieron muy pronto los sonidos loca-
les e insultaban con singular maestría en arcadiano puro. Ex-
pertos en trueques, cambiaban ollas y sartenes de fierro por
gallinas y aperos de labranza en permutas feroces que podían
durar horas enteras. Las mujeres leían las cartas y la palma
de la mano por monedas de cobre, y los hombres muy pronto
se hicieron imprescindibles por su conocimiento inigualable
sobre caballos y plantas medicinales. El campamento gitano
tuvo pronto una plantación del maíz más grande y bello que
se hubiera visto nunca en el Caribe; hacían con él tortas azu-
caradas que vendían los sábados, el día en que los arcadianos
se acercaban hasta allí con caballos que cojeaban para ser cu-
rados, con ristras de peces para ser cambiadas por collares de
abalorios y cuentas de colores finamente confeccionados, o
solo para conocer el futuro.

Los gitanos también tenían un lobo, Buba: un lobo gran-
de y gris que de día se paseaba con libertad entre la gente y
se dejaba acariciar debajo de la barbilla haciendo ruiditos de
placer, pero que por las noches se convertía en el más fiero
guardián del territorio delimitado por su propia naturaleza.
Nadie podía entrar al campamento sin que Buba le hiciera
frente, enseñando los dientes y gruñendo como debe gruñir el
mismísimo demonio.

Eran amables, divertidos, solidarios, ruidosos.

Irina sostiene la mano del Supremo Conductor Nacional.

Llegó hasta el campamento un domingo muy temprano,
acompañado por su Estado Mayor. Hirvieron té de frutas y
lo agasajaron con panes enormes untados de mantequilla. El
hombre mira fijamente a la gitana, quien no abre la boca.

—¡Diga lo que sea, sin miedo! —le ordena apremiante.

A Irina le rueda una lágrima por la mejilla. Cierra los labios con fuerza; de lo que diga o calle depende su tribu. Pero las gitanas no mienten, va contra su propia naturaleza y lo aprendido.

El Supremo Conductor Nacional quita la mano con violencia. Con un gesto hace que guardaespaldas y militares de gala se retiren unos cuantos pasos. Están solos. Una gitana y un dictador, sentados en banquillos de madera, en medio del campamento a orillas de un río.

—¿Qué pasa? —pregunta el hombre, francamente molesto, asustado, lleno de una rabia que sube.

—No hay duda —dice ella—. Los que matan violentamente, mueren violentamente. Allí está escrito —y señala Irina la mano que el dictador intenta esconder a toda costa.

El hombre se levanta del banquillo tan aprisa que lo derrumba; la taza de té está en el suelo también. Sale de allí seguido por su séquito. No se despide de nadie.

Al día siguiente el campamento no existe. No hay carromatos ni percherones ni gallinas ni gitanos, ni maíz siquiera. Nadie los volvió a ver nunca jamás.

Algunos creen que fueron arrojados desde un acantilado hacia el mar. Otros no se atreven siquiera a pensarlo.

Las malas lenguas comentan en voz muy baja que algunas veces, en noches de luna llena, se escucha aullar a un lobo.

Pero en Arcadia no hay lobos, lo sabe todo el mundo. Eso es cosa de niños.

Apuntes para contar una isla

En enero de 1941 Arcadia se pone del lado de los nazis, pero no se lo dice a nadie. Un pacto secreto firmado por el Directorio y el embajador del Reich en la isla compromete, durante los siguientes cinco años, a dotar de combustible a los submarinos alemanes que aparecieran por el Caribe, a cambio de grandes sumas de dinero depositadas en un banco suizo.

Inteligentemente, el que sería luego Supremo Conductor Nacional y Saco de Veneno obligan a aumentar una cláusula en la que aclaran que el «donativo» alemán será depositado mes con mes, haya o no submarinos a los que llenar el tanque con combustible.

Nunca un submarino se acercó al muelle creado exprofeso en la caleta de Mirambique, y sin embargo los depósitos se hicieron religiosa y puntualmente hasta el final de la guerra.

Los estudiantes de la Facultad de Derecho organizan desde la universidad una jornada de protestas contra la guerra todos los viernes. Entre ellos se encuentra un pasante de abogacía llamado Lucio Atala; siempre lleva una Constitución en el bolsillo de su saco de lino ajado y gris que parecería no se quita ni para dormir, calza sandalias de cuero y tiene una barba incipiente que le cubre solo trozos de la cara. Es un orador magnífico. En las escaleras romanas que conducen a la rectoría habla todos los viernes, de cinco a seis, acerca del monstruo nazi que ha invadido Polonia, que ha amenazado al mundo libre, que hace a partir de 1938, desde la infame *Kristallnacht* o «Noche de los cristales rotos», una persecución injusta y humillante contra los judíos tan solo por ser judíos. Exige, junto a otros muchos universitarios que han firmado un pliego petitorio, que Arcadia rompa relaciones diplomáticas con el Tercer Reich.

Todos los viernes sin falta, con sol o con lluvia, los discursos son cada vez más encendidos. Se hace una reunión urgente del Directorio en agosto de 1942. El pliego petitorio que insta a la ruptura de relaciones diplomáticas tiene más de cinco mil firmas; muchos arcadianos han estampado su nombre. Es el embajador estadounidense Phineas Moore quien lo ha llevado hasta Palacio, acompañado de Atala y un grupo de estudiantes, y lo entrega solemnemente. En esa reunión informa también que unos días antes, a partir del 22 de julio, en el gueto de Varsovia, casi doscientos cincuenta mil de sus habitantes, judíos, han sido trasladados a destinos inciertos en trenes especiales, seguramente hacia la muerte. Arcadia debe tomar una posición firme al respecto.

El Directorio se reúne en el salón presidencial Fung Long; sus miembros deliberan acerca de cuál será la posición por tomar sobre una guerra que les queda tan lejos. Por fin, y después de muchas horas de deliberaciones, un vocero de los militares sale del salón y anuncia al embajador Moore que Arcadia se pronunciará a favor de los aliados en la guerra; incluso condena el ataque japonés a Pearl Harbour, sucedido en diciembre del año anterior. Los estudiantes salen de Palacio y comunican la decisión al pueblo arcadiano que se ha reunido en la plaza; estalla el júbilo en las calles. Saco de Veneno mira complacido por la ventana cómo sus compatriotas ondean banderas y lanzan fuegos artificiales. Incluso sale al balcón, y de pie sobre una silla que desde la calle no se ve, junto con otros militares saluda al pueblo que vehemente responde con aplausos a los guías de la nación.

Se sabe hoy que todo fue un montaje rigurosamente planeado. Atala es un capitán del Ejército, del ala de inteligencia, al que se le encomendó la misión de acercarse a la embajada estadounidense para ofrecer el petróleo y la posición estratégica del país en el Caribe para la guerra que vendría contra los japoneses en los próximos meses. Sin que nadie lo supiera, los alemanes seguirían pagando su cuota de combustible que no usan; los gringos, complacidos, tendrían un nuevo aliado en la zona y el pueblo, feliz, se sabría del lado de los «buenos» de la película. Atala dejaría esa misma semana la universidad y se convertiría en agregado militar de la embajada de Arcadia en México, con coche, chofer y viáticos ilimitados.

Saco de Veneno, desde el balcón, estaría pensando en otra cosa. En una muñequita de Hollywood que muy pronto llegaría a su nuevo palacete, por las buenas o por las malas, a endulzarle la vida.

22

Pregúntele usted a un ratón, sin pena, cómo es posible escapar de la ratonera. El ratón no le dirá ni una sola palabra y no se debe a que carezca de habla y entendederas, sino sencillamente a que es imposible.

Sigo escribiendo todos los días el horóscopo del dictador. Algunas veces, pocas, es cierto, no pongo tan halagüeño el panorama porque no quiero que sospeche. El hombre sonríe poco, pero cada vez que le leo lo que le depara el destino para el día, noto en la comisura de sus labios un atisbo minúsculo, el cual significa que todo está bien, que está complacido, que Arcadia marcha hacia adelante.

No hay entre sus ministros ni en los aduladores cercanos una sola persona con la que me sea posible hablar. Y esto no quiere decir que no pueda acercarme a cualquiera; más bien, que el miedo que constantemente me embarga me tiene paralizado. No quiero que nadie perciba la menor sombra de duda acerca de mi lealtad y mi compromiso, pero sobre todo, acerca de mis vastos conocimientos de astrología y ciencias ocultas. Me acerco de vez en cuando al gabinete de Comunicación, ellos son los únicos, junto con el Estado Mayor, que tienen la agenda presidencial del día siguiente y la atesoran como un niño al único dulce que queda sobre la tierra. Así me entero de las actividades del Supremo Conductor Nacional y puedo, gracias a ello, escribir horóscopos a modo. También reviso los cables del sistema meteorológico, que siempre me ayudan.

No se ha vuelto a saber, por lo menos en Palacio, si los rumores de guerrilla son ciertos o no. Dos regimientos de fusileros se han ido hace un par de meses hacia Mambrú en un aparente «ejercicio militar táctico» y se han quedado acuartelados en la zona. Hay cierto temor en las altas esferas de que las percepciones se vuelvan realidades.

Desayuno, como y ceno en mi bungaló; tan solo levanto el teléfono y pido lo que se me antoja, y como si de un hotel de cinco estrellas se tratara, en minutos aparece un mesero con impecable filipina blanca y el escudo nacional bordado sobre el pecho, dejándome una bandeja en la puerta sobre una mesita; toca tres veces suavemente con los nudillos y se marcha por donde vino. Una sola vez llegué hasta el comedor de altos funcionarios y me senté, solo, en una mesa alejada del resto del personal que departía bulliciosamente; Odonojú me vio desde lejos y me hizo una seña para que lo acompañara en su mesa. No conviene desairar al segundo hombre más poderoso de la isla, así que, como un perro faldero, fui hasta donde uno de mis amos me silbaba.

—Lo veo desmejorado, Delfos —dijo con sorna mientras trinchaba un trozo de carne que sangraba por todos lados.

En cuanto dijo mi seudónimo, la mesa de tipos con trajes de cuatro mil dólares, engominados, llenos de poder, al unísono me miraron fijamente, sonriendo. Uno de ellos tomó la palabra antes de que yo pudiera siquiera decir esta boca es mía.

—Un placer conocer al astrólogo del Hombre —me tendió una mano, con la palma hacia arriba—. Dígame algo sobre mi futuro, por favor —y guiñó el ojo a su compañero del lado derecho, burlándose. Estábamos a punto de un desastre en pleno comedor oficial de Palacio.

—No leo las manos —contesté secamente al que luego sabría que era ministro del Aire.

Odonojú se dio cuenta de que eso podría terminar muy mal y rápidamente intervino.

—Nuestro amigo Delfos solo trabaja para el Supremo Conductor Nacional, no quiero chanzas ni comentarios soeces; quedan ustedes advertidos, señores. Su cargo oficial es de asesor especial de la Presidencia, equivalente a subsecretario.

Fue como si una maestra de primaria hablara alto a sus indisciplinados alumnos. Todos bajaron la vista y se dedicaron a las entretelas de sus platillos. Odonojú acercó su cuerpo al mío igual que una boa constrictor cuando rodea al animalillo antes de engullirlo en una silenciosa bocanada.

—No haga caso, amigo mío. Estamos rodeados de guasones arcadianos; usted los conoce.

La verdad es que no, no los conozco. He visto sus caras en la prensa y sé que provienen de la «nobleza» de la isla. Hijos de militares, de ricos, de acaparadores, de estraperlistas; no, definitivamente no los conozco. Yo soy chusma, prole, ralea, pero a pesar de eso, hoy por hoy esta gente de alguna u otra manera me teme o me respeta. Creo que ha llegado mi turno para darles una lección a nombre del pueblo llano de Arcadia.

—Pero si ustedes me lo permiten, podría decirles su futuro —dije como de pasada mientras me metía un volován relleno de mariscos a la boca.

Los cinco hombres se miraron entre sí. Un ministro, dos subsecretarios, el jefe de la Guardia Presidencial, Odonojú. Risitas nerviosas, acomodo de piernas, ajustes de corbata innecesarios.

—Venga, amigo Delfos, lo esperamos con ansias —atajó el secretario sacando un poco el pecho, como si presintiera que una bala disparada por un pelotón de fusilamiento fuera a ser lanzada contra él.

Me levanté de la silla. Los miré uno a uno a los ojos, detenidamente.

—Tres de ustedes no cumplirán los cincuenta años. Uno

tendrá que abandonar Arcadia y el otro no sé, no lo veo lo bastante claro —dije y me senté, tomando una copa de vino y llevándomela a los labios como había visto que se hace en las películas, despacio, tomándola con dos dedos.

El ministro del Aire comenzó a sudar como un cerdo que llevan al matadero. Se aflojó la corbata y con cara de suplicante me dijo:

—¿No podría ser más... no sé, más específico?

—No. Lo lamento, las estrellas envían mensajes misteriosos. Pero no se preocupen, no sucederá demasiado pronto —y dije el «demasiado» lamiendo las vocales, deleitándome con ese rictus de miedo que se había instalado en sus caras.

Me levanté de la mesa, di las buenas tardes y los dejé rumiando la desgracia que se avecinaba.

Odonojú me alcanzó en el «pasillo de las batallas», me tomó del brazo como la garra de un tigre que jamás permitiría que se le escapara la presa. Tenía los ojos entornados, parecía que estaba a punto de llorar; le temblaba la barbilla.

—Somos amigos, Delfos. ¿Cuál soy yo? ¡No me joda, dígamelo, por favor!

Había dejado de ser el imperturbable, el eficaz, el duro secretario de la Presidencia; parecía un mendigo de esos que hay en los muelles y que saben cómo provocar lástima. Tentado estuve a amargarle la tarde y la vida. Estoy rodeado de creyentes: tengo un poder insospechado.

—Tranquilo, amigo. Usted es el que no me queda claro. No se preocupe, su destino está atado al del Jefe. Está en buenas manos.

—Pero... ¿podría hacer mi horóscopo? Le pago lo que me pida. Un auto nuevo, una casa en la playa de Cojimar, mujeres. Usted dirá...

Me sentí como un niño en el escaparate de una juguetería. Lo único que en realidad quería era mi libertad, y esa no me la podía dar un simple secretario de la presidencia, por más poder que tuviera.

—Lo siento, usted sabe que solo hago los horóscopos del Hombre. Lo sabe mejor que nadie…

—Pero… podría ser un secreto entre nosotros. Yo sabría recompensarlo —me soltó el brazo en ese gesto inequívoco que demuestra que en vez de cazador, uno se ha transformado en cebo.

—Bueno, bueno, ya veremos. Voy a la biblioteca. Que tenga buena tarde. —Comencé a caminar mientras desde las paredes me miraban los próceres de la patria y sonreían.

Odonojú se quedó de pie en el pasillo, con una nube negra sobre la cabeza que presagiaba tormenta.

Yo comencé a silbar el tema de *Casablanca*.

♏

En su primera visita oficial a un país de la región, el presidente que luego sería Supremo Conductor Nacional decidió ir a aprender de una de las dictaduras más feroces del continente, disfrazada de democracia. En abril de 1961, François Duvalier es reelegido como presidente de Haití con un millón trescientos veinte mil votos a favor y ninguno en contra. Un par de años antes había creado su propia guardia de élite, inspirada en los camisas negras de Mussolini: los Voluntarios de la Seguridad Nacional, los temibles Tonton Macoutes que hacían y deshacían a su antojo en el país más pobre del continente americano, saqueando, extorsionando y matando a placer bajo la complaciente mirada de Papa Doc.

El día que el yate presidencial arcadiano llegó a Puerto Príncipe, el mar estaba sorprendentemente calmo como una balsa de aceite, como si todos los dioses se hubieran puesto de acuerdo para darle una plácida bienvenida a ese que tanto aprendería en los próximos días. Duvalier y su escolta recibieron con honores al presidente arcadiano; después de una salva de fusilería se escucharon los himnos nacionales, luego se fueron los dos en una limusina descubierta bajo una lluvia de pétalos de flores hasta el blanquísimo Palacio Presidencial, rodeados de motociclistas armados hasta los dientes; allí se ofreció una de las más glamorosas y caras fiestas de que se tenga noticia en el Caribe. Tazones inmensos de caviar ruso eran ofrecidos en cucharillas de oro a los invitados. Un río de champaña corría interminable mientras los presidentes se carcajeaban y se palmeaban amistosamente las espaldas.

Pero fue mucho después de la medianoche y de los bailes y los coñacs y los puros dominicanos que la incipiente amistad se sellaría para siempre.

Sentados a solas en una de las terrazas de Palacio, sin miradas ni oídos ajenos que pudieran perturbarlos, Duvalier le explicaría al Supremo Conductor Nacional de Arcadia cómo funciona el vudú, en qué creer y en qué no creer, y le dio el regalo más fantástico que jamás nadie puede recibir.

Duvalier le puso en las manos, envuelto en terciopelo rojo, un zombi.

Pero primero le explicó claramente de qué iba la cosa.

El alma de los seres humanos está, desde la visión del vudú, dividida en dos partes: una es el Gros Bon Ange (gran buen ángel) que vive en el cuerpo de los hombres; un concepto espiritual ligado a la memoria, los sentimientos y la personalidad. Perder esta parte del alma equivale a perder la vida. La otra es el Ti Bon Ange (pequeño buen ángel), ligado al cerebro, a la voluntad, a la conciencia. Perder el Ti Bon Ange es perderlo todo.

Los zombis pueden «fabricarse» entonces de dos maneras distintas. Una de ellas consiste en pagarle a un bokor para que ponga polvos especiales llamados «wangas» en el camino que recorre la víctima diariamente: si los pisa, su Ti Bon Ange pasará a ser propiedad del hechicero, por lo tanto, su cuerpo hará lo que su dueño le diga: matar, robar, lavar la ropa, recoger fruta, lo que se le ordene. Esos son los zombis tradicionales, cuerpos sin voluntad ni exigencias que avanzan por la vida siguiendo las instrucciones de su amo; muy útiles para deshacerse de enemigos, mujeres exigentes, acreedores.

La segunda, más compleja, involucra a un houngan, alto miembro de la jerarquía vudú, como el propio Duva-

lier. Cuando muere el cuerpo que contiene el alma que se requiere, hay que esperar a que sea enterrada en un cementerio, pedir permiso al sepulturero para entrar de noche, abrir la tumba, llegar hasta el cuerpo exangüe, poner un cántaro o frasco con tapa en la nariz del muerto y esperar a que el Ti Bon Ange se introduzca, cerrarlo firmemente y luego, mediante un procedimiento secreto, traspasarlo a donde se desee.

Poseer un zombi es tener un esclavo que no come, no se queja y en ocasiones ni siquiera necesita habitación ni baño para hacer sus necesidades.

El zombi que recibía el Supremo Conductor Nacional estaba alojado en la punta de una pluma fuente. Su zombi había sido en vida un importante miembro de la jerarquía católica haitiana, un obispo ni más ni menos. Si firmaba a partir de entonces las penas de muerte con esa pluma por interpósita persona, no generarían pecados mortales.

Amanecía en Puerto Príncipe cuando los dos dictadores se dieron un abrazo estrepitoso en el balcón del gran Palacio.

Una pluma fuente de oro de veinticuatro quilates es más valiosa por lo que contiene que por lo que pesa.

No cualquiera te regala un zombi dorado...

Apuntes para contar una isla

Cuando Maggie Rucker abrió los ojos estaba en la habitación palaciega más impresionante que hubiera visto en su vida. Era como un set de cine preparado para una escena exótica de Theda Bara: una cama dorada con dosel de donde caían primorosas sedas teñidas de colores, almohadones bordados con motivos árabes, tibores orientales puestos en columnas de lacas preciosas, candiles del cristal más perfecto y luminoso, flores naturales que despedían delicadas fragancias, una pecera enorme donde paseaban alegres cientos de peces de matices imposibles, cortinas pesadas ribeteadas con plata. Y todo, las sillas de la mesita para el té, la jofaina y el armario de ébano, eran de proporciones delicadas y perfectas, del tamaño ideal para que Maggie Rucker, pequeña estrella de Hollywood, se sintiera a sus anchas.

Nadie sabe cómo fue la primera conversación sostenida entre Demetrio Solá, mejor conocido como Saco de Veneno, y su cautiva. Dicen unos que él, de rodillas, le entregó un collar de zafiros y rubíes que aparentemente había pertenecido a Catalina la Grande, mientras le declaraba su amor en un perfecto inglés. Otros cuentan que ella pateó, mordió, gritó con todas sus fuerzas, pero aceptó el obsequio. Unos más mencionan que solo fue otra presa, como los cientos que hay en Arcadia.

En un partido de polo celebrado en Jagüey meses después entre las selecciones de Arcadia y Barbados, Solá mencionó de pasada al que luego sería Supremo Conductor Nacional que «la estaba amaestrando». Algunos piensan que se refería a la actriz, otros, que hablaba de una yegua bronca regalada al ministro de Guerra por unos hacendados del norte; nadie lo sabe a ciencia cierta.

La primera vez que se les vio juntos fue en la cena-baile a beneficio de los huérfanos de Arcadia en la Navidad de 1943. Entraron al salón tomados del brazo, sonriendo: él, con impecable traje militar lleno de condecoraciones, tricornio con plumas de quetzal y espadín con empuñadura de plata; ella, con un vestido rojo largo y lleno de encajes, y al cuello, el más deslumbrante de los collares, el cual titilaba profusamente al resplandor de los candiles. La presentó como su esposa, Margarita. Ella dio las buenas noches en español, hizo algún comentario anodino sobre el calor y la humedad, y luego se dedicó a beber champaña y a reír sonoramente con cada chiste que los altos mandos de la isla allí reunidos desgranaban, como si fuera una isleña más, al tanto de las costumbres y los protocolos secretos que la convertían en una dama de la más alta alcurnia.

Algunos maledicentes cuentan que el diminuto demonio que tenían como ministro de Guerra había mandado traer desde la lejanísima Ciudad de México una hierba especial llamada «toloache», que hervida en agua y administrada en su justa proporción, hacía que el que la bebiera cayera súbita, profunda, indefectiblemente enamorado del que se la ofrecía. Nadie dudaba de que Saco de Veneno era capaz de eso y mucho más.

Mientras tanto, en Arcadia los militares tenían y lo controlaban todo. Las cuentas bancarias de los miembros del Directorio crecían y se llenaban de ceros que multiplicaban así sus fortunas personales.

En enero del 44, una curiosa calamidad azotó la isla.

Miles de loros brasileños, enormes, verdes y ruidosos, llegaron volando de quién sabe dónde como una plaga bíblica, atacando los campos y llenando de cagarrutas a la ciudad entera.

Al principio incluso fue divertido: los niños les ponían cacerolas con semillas de girasol y trozos de guayaba, y los animales caían sobre ellas gritando, revoloteando y dándose picotazos unos a otros en busca de las mejores porciones.

El verdadero problema es que no temían a los seres humanos: se metían a las casas y se comían el queso, las frutas, el arroz; cagaban sobre las mesas, los sombreros de las señoras y los trajes de los caballeros, y desgarraban con sus afiladas uñas las cortinas.

Parece ser que un niño apodado «Chueco», por su peculiar forma de andar, capturó a uno de los animales y le enseñó a gritar a voz en cuello la palabra «¡cabrón!» A la semana escasa, cientos de plumíferos repetían el insulto desde las farolas, los quicios de las puertas, los árboles e incluso los sillones del Palacio Presidencial, a todos los que estuvieran cerca.

Las plantaciones de mangos fueron severamente atacadas. Los loros picoteaban los frutos sin comérselos enteros, así que en una sola tarde una docena de animales podía acabar con un árbol tupido, casi una tonelada de producto de exportación.

De una curiosidad, la invasión de los loros brasileños pasó a ser un problema de salud pública. Los campesinos disparaban sus escopetas de perdigones sin miramiento alguno cada vez que veían llegar una nube verde pero los animales se reproducían, no como lo haría habitualmente su especie, sino como conejos: por cada loro muerto, seis más se sumaban a los escuadrones voraces que desde al aire llamaban «cabrón» a la víctima que en el suelo maldecía su desgracia. Y nadie sabía dónde hacían sus nidos los jodidos bichos.

La solución llegó de manera providencial por la mano de Eustolia Buscafín, matrona vendedora de hierbas en el mercado central.

«¡Coño, denles perejil de perro!», dicen que gritó por sobre el bullicio de las dos de la tarde y espantando con una escoba a un loro terco que quería comerse la hierbabuena.

El perejil de perro, llamado también «cicuta menor», no era una hierba endémica de la isla y resultaba sin duda altamente tóxica para los pájaros.

Solo había perejil normal, del que se usa para abrillantar las ensaladas, y ese no servía para los propósitos exterminadores de los arcadianos hartos.

El ministro de Salud Pública, coronel Cienfuegos, mandó importar desde Maracaibo un buque entero lleno de perejil de perro.

El cuerpo de limpia de Arcadia fue el encargado de poner manojos de la hierba por toda la ciudad, aderezados con trozos de papaya y miel. Las plantaciones hicieron lo propio.

Al tercer día, un tapete verde cubría la capital de la nación.

Los golosos loros fueron muertos.

Excepto uno que, metido en una jaula del zoológico de Arcadia, grita como loco «¡cabrón!» a todo aquel que se le ponga enfrente, sabedor de que fueron ellos, los humanos, los que terminaron para siempre con su imperio.

El 11 de octubre de 1944 el destroyer estadounidense *Ulysses S. Grant* entró a puerto con la finalidad de hacer reparaciones menores y comprar bastimentos para la tripulación que llevaba semanas patrullando el Caribe en busca de submarinos enemigos.

El comandante Gregory Messenmayer y su Estado Mayor fueron debidamente agasajados por el Directorio arcadiano con todos los honores, y dos días después se le brindó una cena de gala en Palacio.

Ese fue el principio del fin, y dos circunstancias ajenas entre sí fueron detonantes de la catástrofe.

Cinéfilo irredento, el contramaestre Alvin Ford, segundo al mando del enorme barco, no podía quitar los ojos de encima de la pequeña y graciosa esposa del ministro de Guerra arcadiano. Sabía que la había visto en alguna parte, y su cerebro se movía a una velocidad vertiginosa intentando dar con un vestigio de información guardado celosamente en alguna parte de su cabeza.

Al volver a sus camarotes, ya de madrugada, Ford recordó con claridad quién era esa mujer; si cerraba los ojos la veía, en la pantalla colorida, jalando la cola del león cobarde en *El mago de Oz*.

Mandó un telegrama cifrado al FBI en Washington, y se sentó a esperar la respuesta.

A la mañana siguiente tres pelotones de soldados estadounidenses, armados con ametralladoras Thompson, tomaron en una acción relámpago el Palacio, el Ministerio de Guerra y el cuartel general del Directorio; los cañones del *Ulysses S. Grant* apuntaban amenazantes directo a las cúpulas de la catedral. En unas cuantas horas, los militares miembros de la Junta estaban recluidos en uno de los salones de eventos del Palacio esperando su suerte, sin entender bien a bien por qué los «aliados» estadounidenses habían invadido su isla.

Después de unas cuantas horas de angustia se hizo presente Messenmayer, quien amablemente les explicó, auxiliado por un traductor, que toda la operación, con código clave «Midget», se había realizado por órdenes del Departamento de Estado para auxiliar a una ciudadana estadounidense que se hallaba privada de la libertad en Arcadia y que además, por la madrugada, un submarino alemán fue avistado en una de las caletas arcadianas abasteciéndose de combustible, con lo que se violaba de manera flagrante el pacto de adhesión con Estados Unidos de América en plena guerra.

Ante las miradas perplejas de los militares encañonados por potentes armas de fuego, tuvo a bien, amablemente de nuevo, aclarar que sencillamente se estaba cumplimentando una orden emanada por el Buró de Inteligencia para la recuperación de la ciudadana Maggie Rucker y la aprehensión inmediata de el o los secuestradores, que también debían ser traidores.

Demetrio Solá, quien había permanecido en silencio, sentado en un sillón de cuero negro con las piernas colgándole al tiempo que observaba a los invasores con cara de odio profundo, se levantó de un salto y con un movimiento más ágil de lo que su propia corporeidad le hubiera permitido en otras circunstancias, se abalanzó contra uno de los marinos y le arrebató la ametralladora.

Ni siquiera alcanzó a quitarle el seguro.

Un par de ráfagas salidas de las armas de otros dos gringos lo atravesaron de costado a costado dejando un reguero de sangre en las paredes y las alfombras orientales. Alvin Ford, el descubridor del secuestro, se acercó hasta el cuerpo, que parecía el de un niño, y sin dudarlo le descargó un tiro de su pistola en la cabeza por si las dudas.

También murieron los ministros de Agricultura y Pesca, y fue herido en un brazo un camarero.

Minutos más tarde, Maggie Rucker se presentó en la escena hecha una furia, gritando improperios arcadianos contra los asesinos, y abrazó el cuerpo inmóvil de Saco de Veneno en el suelo, llamándolo «mi chiquito» y llenando la frente del amor de su vida de besos mezclados con lágrimas enormes que no cesaban de fluir.

Los estadounidenses estuvieron un par de meses en la isla mientras se aclaraba el embrollo. La invasión de 1944 dejó como consecuencias una pléyade de bastardos mestizos, una nueva Constitución, la introducción de la cocacola en todos los rincones de la isla y ayudas millonarias en los próximos años, provenientes del famoso Plan Marshall.

Dejó también a una viuda pequeñísima que se encerró a piedra y lodo en su pequeña casa y que nunca más quiso saber nada de los yanquis ni de nadie hasta el día de su muerte.

Y como gran corolario dejó, por supuesto, a un títere en el poder: el que sería dentro de muy poco tiempo el Supremo

Conductor Nacional, quien comenzaría como presidente interino y subiría peldaños de dos en dos y de tres en tres hasta la cúspide, protegido por el gobierno de la nación más poderosa de la Tierra, que le había perdonado el desliz de la enana y del submarino a cambio del petróleo, el estaño y el cobre de la isla.

23

Helena con hache es hoy por hoy mi único motivo y mi única razón. Sé que suena a bolero romántico cubano de los cincuenta, pero lo digo con conocimiento de causa y, sobre todo, como tabla de náufrago en este mar de locura en el que me bamboleo. Descubro complacido que esa niña de la alta sociedad arcadiana tiene ideas políticas bastante claras. Ideas que no dice en ninguna parte; ideas que solo expresa cuando estamos solos, desnudos, cómplices de piel y de palabras. Y también tiene información reservada que no repetiré porque compromete en mucho al régimen y a su propia familia. Este último año, el año que corre desde que la vi por primera vez en ese baile, ha sido un sueño y una pesadilla a partes iguales. Cada vez que me enfrento cara a cara con el Supremo Conductor Nacional tengo la sensación de que es el último día de mi vida; termino de darle su horóscopo y espero con los ojos bajos a que me grite: «¡impostor!, ¡mentiroso!, ¡hijo de puta!», y a cambio recibo siempre esa media sonrisa a la que ya estoy acostumbrado. Recibo también, por lo menos una vez a la semana, un soberano de oro que guardo en la bolsa de yute que tengo enterrada en el jardín. Soy un astrólogo falso y millonario que no necesita gastar en nada, pues solo tengo que levantar el teléfono para cubrir ampliamente mis necesidades.

Todas las noches, en la soledad de mi bungaló, ideo planes de escape de la isla que desecho de inmediato por inviables, por absurdos, por ser excesivamente temerarios. He soñado con globos de helio con canastilla, con yates con bodegas de doble fondo, tiburones mecánicos flotantes, balsas hechas de neumáticos, con cambios quirúrgicos de apariencia (en un sitio donde no hay siquiera un solo cirujano plástico), con fingir mi propia muerte, con nadar poderosamente hacia la puesta de sol. En fin, he pensado y he soñado con todas las posibilidades de huir de estos muros de agua que me aprisionan y me asfixian día tras día, y a los que no les encuentro ni una sola fisura por la cual escapar.

Todos los días me entero, sin querer, de nuevos muertos y de cada vez más ingeniosas fórmulas para desaparecer opositores. Insistentemente, los rumores del avance de la guerrilla que el gabinete de Comunicación se empeña en desmentir, son más poderosos.

Siempre estoy en el sobresalto absoluto, entre el amor y el horror. No creo poder sobrevivir a estos vertiginosos tiempos.

24

El ministro de Economía quiere ser mi amigo, o eso aparenta. En un pasillo, mientras voy caminando rumbo a la biblioteca, me toma del brazo y camina unos pasos a mi lado. Me habla en susurros:

—Delfos: saque su dinero de Arcadia en cuanto pueda. Le conviene —me dice.

Me quedo tan sorprendido que no sé qué contestarle. Trastabillo gracias a una de las viejas alfombras y él me sostiene, parezco un viejo ridículo.

—Gracias —contesto mientras me separo de su brazo. Él se va hacia una de las oficinas y antes de desaparecer de mi vista voltea la cabeza y me guiña un ojo, cómplice.

Cambio de rumbo, enfilo hacia el despacho de Odonojú. Tal vez él me pueda aclarar el enigmático mensaje que acabo de recibir.

Su secretaria lleva la falda más diminuta que he visto en mi vida. Por más que lo evito, mis ojos insisten en posarse una y otra vez sobre las dos largas piernas cruzadas que podrían verse desde el canal de Panamá, con un poco de suerte. Ella lo sabe y parece que lo disfruta. Revuelve papeles y, de vez en cuando, de golpe busca mi mirada y una y otra vez la encuentra perdida en sus extremidades. A estas alturas debo estar rojo como un camarón cocido, de tan ruborizado. Ella me sonríe. Levanta el teléfono al primer timbrazo y me dice:

—Pase, asesor, el secretario lo espera.

Y paso a la oficina del hombre que todo lo ve y todo lo sabe de nuestro pueblo.

Se levanta de su escritorio, impulsado por un resorte invisible, y abre los brazos, como si fuera mi cumpleaños. Tiene una sonrisa llena de dientes que le abarca la cara. Parecería que hoy es el día de su boda. Viste de impecable negro y tiene unos lentes de arillo nuevos que le han achicado los ojos. Ya no se ve tan siniestro; tengo la impresión de que también estuvo en el dentista hace poco.

—Amigo, ¿qué nos deparan los astros hoy en día? —pregunta mientras de una pitillera de plata saca un tabaco con filtro.

—Eso quisiera yo saber.

Me mira fijamente.

—¿A qué se refiere con exactitud?

—Hay rumores. Me acaban de aconsejar que saque mi dinero de Arcadia. ¿Lo hago? —le respondo mientras me siento confianzudo en una de sus sillas de visitas; espero que no se dé cuenta de que me estoy muriendo del miedo. Él enciende el tabaco y lanza una carcajada alta, aguda, como la de una solterona que viera en el cine una película cómica.

Atragantándose entre el humo y la risa lo escucho decir a trompicones:

—¡Pero si nadie tiene su dinero en Arcadia! ¿O usted sí?

Asiento tímidamente con la cabeza y el tipo de plano se descoyunta sobre su asiento, muerto de la risa.

—No joda, Delfos, nuestra economía es tan sólida como un castillo de naipes. Hoy arriba, y mañana en el puto suelo; vaya temprano a la sucursal del Boston Bank y abra una jodida cuenta.

Como lo veo tan radiante, tan jocoso, tan divertido con mi ingenuidad de pobre venido a más, me atrevo a dar un paso adelante.

—Dicen también que la guerrilla avanza. Mucho.

Abracadabra: se pone serio como viuda en funeral. Incluso mira hacia los lados antes de contestarme.

—Nada de qué preocuparse. Un par de casos aislados de barbudos revoltosos. No son Fidel y el Che y aquí no hay Sierra Maestra. ¿Qué dice su bola de cristal? ¿Arcadia será comunista?

—No tengo bola de cristal —digo lo más serio que puedo mientras él abre uno de los cajones de su escritorio. Yo tengo las manos sobre la mesa, estoy a punto de levantarme cuando Odonojú me detiene con tan solo la mirada.

—¿Conoce el cuento del escorpión y la rana, Delfos? —Niego con la cabeza. Odonojú tiene en las manos una cajita de ébano con sus iniciales pirograbadas en oro—. Pues bien, un día, al borde de un río, el escorpión le pide a la rana que lo lleve al otro lado; la rana se niega argumentando que en el trayecto podría picarle en la espalda y matarla. El escorpión la convence diciéndole que si eso pasara, él también moriría ahogado. El caso es que los dos comienzan a atravesar el río y justo a la mitad de la corriente, el escorpión pica a la rana. Empezando a hundirse, el batracio le reclama: «¿Por qué lo hiciste?», le dice. Y el bicho le contesta: «Es que está en mi naturaleza...»

Odonojú saca de la cajita un escorpión negro y enorme, y me lo pone sobre el dorso de la mano derecha; me quedo inmóvil, aterrado, sin tiempo para reaccionar. Él sonríe, me habla como a un viejo amigo al que le contara su luna de miel.

—Así son las cosas en este país. Hacemos lo que nuestra naturaleza nos indica. No podemos sustraernos a otros designios que no sean los que nos marca nuestra sangre. El bien y el mal son tan solo una entelequia.

El escorpión se ha bajado de mi mano, yo la retiro rápidamente y la meto debajo de la pierna, tengo escalofríos. Se pasea orondo y temible por el escritorio, con la cola levantada amenazadoramente, buscando algo. Odonojú lo aplasta con un pisapapeles de mármol. Suena a un rumor de hojas secas.

Me levanto. El mensaje está claro, todos somos prescindibles: la rana, el escorpión y yo mismo.

Me voy caminando hacia la puerta cuando a mis espaldas oigo una vez más la risa del omnipotente secretario, esta vez más baja. Dice en un susurro, como para sí mismo, y yo lo oigo como si viniera de un altavoz:

—¿El presidente es Escorpio, verdad, Delfos?

Cierro la puerta y me voy por el pasillo, temblando hasta un baño, donde vomito el desayuno.

♏

Lo que no puede ser, no puede ser, y además es imposible.

Regresar del mundo de los muertos a Demetrio Solá, mejor conocido como Saco de Veneno, no pudo lograrse por más ensalmos, misas negras, embrujos y hechizos que se hicieron sobre su pequeño y roto cadáver. Una y otra vez los intentos para lograrlo fueron un fracaso rotundo. Durante doce noches consecutivas fue envuelto en paños humedecidos con infusiones de mandrágora y ajenjo; se sacrificaron toros, machos cabríos, gallinas y doncellas amordazadas que se revolvían como huracanes a la vista del puñal de plata en altares donde había cruces vueltas al revés, estrellas de cinco puntas dibujadas con ceniza de volcán en el suelo y símbolos herméticos pintados con sangre en las paredes.

Al amanecer del último día, un brujo mayor traído desde Cayena que había danzado poseído durante horas alrededor del cadáver, escupiendo hacia todos lados alcohol mezclado con damiana, hizo un mohín con la nariz y le dijo al nuevo presidente:

—Nada que hacer. Ya apesta. No quiere volver.

Cervantes cayó de rodillas y lloró como un niño.

Después de un rato, se levantó decidido y ante la inminencia de lo inevitable, optó por el más peculiar de los homenajes.

Cortó los testículos de su pequeño amigo y los guardó en una bolsita de cuero.

Los lleva a todas partes, amarrados a la hebilla de su cinturón y entre los calzoncillos.

Él cree que tiene desde entonces dos pares de cojones, y a veces lo dice riéndose mientras brinda con sus amigos, con sus socios, con sus subordinados.

Todos festejan el chiste del Jefe sin saber que es verdad. Que los tiene.

Apuntes para contar una isla

Pasar de ser presidente interino de Arcadia a Supremo Conductor Nacional le llevó a Ezequiel Cervantes cuatro años y unos pocos días. Porque un dictador se hace exactamente como se hace un pastel; esto quiere decir, siguiendo al pie de la letra y paso a paso las instrucciones.

Firmando decretos, comprando líderes sindicales, otorgando concesiones petroleras y de extracción de metales, deshaciéndose de opositores, teniendo de su lado al Ejército y la Marina, imponiendo rectores, aboliendo el Congreso, poniendo su nombre a escuelas, puentes y hospitales, yendo a misa los domingos, codeándose con la alta sociedad y recibiendo así su beneplácito. Y sobre todo, teniendo aliados incondicionales e importantes en el mundo. En 1948, con la benefactora mano de Estados Unidos a su espalda, declaró la gran cruzada anticomunista y encabezó a todos sus lacayos, que salieron juntos alegremente a cazar rojos como en otro tiempo se cazaron conejos.

Trescientos veintiséis muertos durante el fatídico diciembre de 1948. Periodistas, maestros, estudiantes, sindicalistas, obreros, telegrafistas, tabaqueras, marinos, copreros e incluso un ministro cayeron abatidos por el eficiente pelotón de fusilamiento de la cárcel de Ipiranga después de juicios instantáneos donde nunca hubo un abogado defensor.

La isla estaba llena de confidentes del régimen que por unos cuantos caribes delataban al vecino que los había mirado mal la tarde anterior, al vendedor de diarios que les había dado el vuelto incorrecto, al maestro que insistía en que el hombre provenía del mono, al joven estudiante que tenía libros de color rojo en su habitación, al cortador de mangos que se quejaba del salario de hambre, al cantante que entonaba melodías en francés.

Hoy se sabe que los fusilamientos, uno a uno, fueron fotografiados ampliamente y enviadas las placas por valija diplomática al Departamento de Estado en Washington, D. C.

Y se sabe también que entre los fusilados no había un solo comunista, porque en Arcadia ni siquiera existía un partido comunista. Fue una vil revancha contra todos aquellos reales o supuestos enemigos del régimen, personas que estorbaban a los aviesos fines del sistema, gente como usted o como yo, que tan solo se buscaba la vida. Y a pesar de ello, el dictador fue recompensado ampliamente; se abrieron créditos internacionales, nuevas empresas extranjeras llegaron a la isla a llenar de basura y derrames tóxicos sus playas, cientos de turistas accedieron al puerto en enormes cruceros y llenaron de billetes verdes y abundantes las arcas del líder. Se abrieron casinos, por supuesto. El primero se inauguró en el verano de 1950 a todo lujo, con *croupiers* de Barbados y rubias meseras con las faldas más cortas que nadie hubiera visto nunca, y allí se ganaban y perdían fortunas mientras el sol del amanecer inundaba la bahía. El Estado tenía una participación del cincuenta y uno por ciento de los ingresos reales y el resto se iba en maletas, por yate, hasta Cuba, donde un tal Meyer Lansky bebía champaña y brindaba con sus socios mientras contaba los billetes.

Fue precisamente ese año, el 20 de mayo, cuando el Congreso decidió por unanimidad otorgar a Ezequiel Cervantes el título de Supremo Conductor Nacional, dándole también la potestad absoluta sobre vidas y haciendas en Arcadia, nombrándolo presidente vitalicio.

Nunca fue guapo, es cierto, pero un aire varonil y marcial lo acompañaba siempre a todas partes; con su uniforme de lujo de galones dorados, con la pechera atestada de medallas y condecoraciones, y su tricornio de plumas blancas, no tenía ningún motivo para envidiar a cualquier dictador latinoamericano, e incluso del mundo entero. Pronto su foto apareció en revistas internacionales; el «Supremo Caballero» lo llamaban por sus atildados modales y su voz suave. Entonces, después de tener todo en sus manos, decidió que había llegado el momento de poner a Arcadia en el mapa y con esmero se dio a la tarea. Nombró ministra de Cultura (un cargo nuevo) a Matilde Sigüenza, una poetisa local muy menor, pero que hablaba inglés y francés a la perfección, y a su prima hermana Adela Cervantes como responsable del ministerio de Turismo. Así, Arcadia entraba al mundo y abría sus puertas, su gastronomía, su envolvente y caribeña música, sus bellas playas y sus vibrantes atardeceres, como decían los folletos profusamente ilustrados, al escrutinio de todos. Grandes obras de infraestructura se realizaron durante esos años: carreteras, hoteles inmensos con inmensas piscinas, tuberías y desagües, líneas telefónicas submarinas, semáforos, un aeropuerto, casinos y teatros fueron apareciendo por toda nuestra cambiante geografía. Y se hizo obligatorio, como segundo idioma, el inglés en las escuelas públicas y privadas, para atender como se debía a esos turistas que vendrían en oleadas a la isla.

Pero el Supremo Conductor Nacional no contó con el clima.

La temporada de huracanes dejaba al país incomunicado por mar y por aire casi seis meses del año, y los otros seis meses la temperatura media de treinta y ocho grados a la sombra hubiera asustado al mismísimo Lawrence de Arabia. Así que no llegaron ni los texanos ni los franceses ni los españoles que esperábamos, tan solo el turismo caribeño que asombrado por la permisividad del país en cuanto al juego y al sexo, vino a sembrar con gonorrea y billetes falsos nuestro territorio nacional.

Matilde tuvo entonces una idea genial. Con una maleta llena se fue a París a buscar a los responsables de la Federación Internacional de Ajedrez y les ofreció Arcadia entera para el desarrollo del campeonato del mundo de 1951. Algo bueno debía ir en la maleta, porque el contrato fue firmado a la mañana siguiente.

Tres rusos, un francés, un inglés, dos estadounidenses y un cubano, todos ellos maestros internacionales, llegaron en un avión privado al aeropuerto Ezequiel Cervantes de Arcadia el 11 de marzo de 1951, y fueron hospedados a todo lujo en el inmenso Gran Hotel Arcadia. Las partidas se llevaron a cabo en el recién inaugurado Palacio de Cultura, un edificio enorme de aires góticos construido a todo vapor en la contraesquina de la catedral, ocupando un solar que hasta hacía algún tiempo albergaba casas coloniales que fueron demolidas sin miramientos, pero que sus dueños cedieron amablemente al Estado para albergar esa nueva joya del país. El Palacio de Cultura tenía una sala de conciertos con un piano Pleyel original, un teatro con foso para orquesta, dos salitas cinematográficas, salones de eventos y una impresionante biblioteca hecha con madera de guayacán e incrustaciones de marfil con más de cincuenta mil ejemplares elegidos cuidadosamente en todo el mundo.

Fue Ezequiel Cervantes en persona quien abrió la primera partida bajo un torrente de flashes de los enviados de periódicos de todo el mundo, que iban mandando las incidencias del torneo desde la sala de prensa donde se había instalado, con bombo y platillo, el primer télex que hubo en Arcadia, comprado a la United Press y que por fin comunicaba a la pequeña isla de manera expedita con el resto del globo. Las colas para usarlo siempre eran enormes, aparentemente democráticas; pero pronto los reporteros descubrieron que en Arcadia podían lograrse cosas que no eran habituales en otras latitudes. Así, por unos cuantos caribes podían hacer que un niño, un mendigo, un ujier, ocupara su lugar en la larga fila mientras ellos continuaban con su trabajo. Por ende, esa cola era una suerte de corte de los milagros donde ciegos, tullidos, amas de casa con la cesta de la compra en la mano, esperaban su turno pacientemente, y cuando estaban a punto de llegar, cuando solo había una persona antes que ellos, gritaban a voz en cuello el nombre del periódico, revista o cadena noticiosa a la que le habían reservado el espacio. Muy a su estilo: «*¡Niuyoltaimes!* ¡Ese del *Figaro*, le toca! ¡Coño, *Le Monde*, venga corriendo, ya, ahora mismo! ¡Qué se apersone el checo de los cojones, que no sé cómo se llama su diario!»

Y los gritos iban sucediéndose como en un teléfono descompuesto por todos los rincones del Palacio de Cultura. Podías ver cómo los enviados corrían entre un mar de gente, abriéndose paso a empujones para llegar hasta la cabina desde donde saldrían sus notas, sudorosos, agitados, como si hubieran corrido la maratón, pero eran recompensados: un mesero impecable daba a cada periodista que lograba llegar a su cita un tropical y helado coctel que le devolvía la respiración y también el alma al cuerpo.

Los dos primeros maestros en caer en las rondas eliminatorias fueron los rusos Kalpa y Grotoniev, con lo que el Estado arcadiano demostraba de manera tácita que el comunismo no era la panacea que algunos esperaban ni siquiera en el ajedrez, deporte de reyes, no de bolcheviques salvajes.

Monsieur Andouille y el británico Mr. James muy pronto fueron también despachados, con lo que Europa se quedaba sin representantes.

El muy rubio y yanqui Roger Kennedy se enfrentaría en la semifinal al dicharachero y divertido cubano José Raúl Capanegra, y por otro lado el único ruso sobreviviente, Yuri Strogonoff, al texano Wilkinson.

Todo mundo vio a la segunda semifinal como el encuentro definitivo entre las dos potencias mundiales enfrascadas en una guerra no declarada, llamada «fría» pero que estaba francamente caliente, por lograr la hegemonía sobre la Tierra.

Más de dos mil asistentes apretujados fueron siguiendo los pormenores de la partida, que incluso fue filmada por la cadena estadounidense ABC.

La jugada de apertura de Strogonoff, que tuvo el privilegio de comenzar por sorteo, fue el famoso «gambito Evans», jugando con blancas en E4, adelantando dos casillas su peón central y obligando a realizar a su contrincante lo que los entendidos llaman una «partida abierta».

No daré aquí los pormenores del juego que duró casi dos horas, ya que no soy un experto en estos temas, pero sí diré que fue emocionante hasta los últimos momentos. Incluso un corresponsal italiano la comparó, llenando a los dos jugadores de elogios, con la famosa partida «Siempreviva» o «Evergreen», aquella que jugaran en el lejano Berlín de 1855 los alemanes Anderssen y Dufresne, y con el mismo resultado, ganando las blancas, las abridoras. Al momento de hacer el jaque mate con tan solo un peón y un alfil atacantes, protegidos por una vigilante torre final, el ruso saltó de su asiento, levantó los brazos como un boxeador y se bebió, de varios sonoros tragos, una botella entera de vodka directamente del gollete.

El sobreviviente ruso mostraba así el predominio de la escuela soviética que ascendía como la espuma, y daba un palmo de narices a todos aquellos que anticipadamente habrían celebrado su derrota y la del comunismo entero, incluido el Supremo Conductor Nacional, quien hizo un fenomenal berrinche en la soledad de su habitación redonda en la madrugada, lo que se sabe por la infidencia de uno de sus guardias que lo oyó gritar y maldecir durante largo rato.

El otro gringo fue despachado en tan solo cuarenta y seis minutos por el fabuloso Capanegra, quien se levantó al terminar la partida y marcó sobre el suelo sin música de por medio, enfundado en su impecable esmoquin, unos pasitos de danzón, sonriendo al público asistente y sobre todo a las damas que suspiraban y se derretían con la blancura de sus dientes y su bigotillo de actor de películas mexicanas.

La partida final, el sábado 24 de marzo de 1951 a las cinco en punto de la tarde, paralizó a la isla entera. Se pusieron altavoces en plazas y parques, donde ávidos escuchas siguieron paso a paso el desarrollo del juego narrado magistralmente por Edmundo Rodríguez Dantes, gloria de la radio caribeña que todas las noches hablaba al país desde su noticiario *Arcadia al día* y que terminaba con una frase que lo hizo muy popular: «Por mi humilde persona usted ha sido informado, que tenga muy buenas noches». El salón principal del Palacio de la Cultura fue habilitado como si de un *ring* de boxeo se tratara, las localidades preferentes se llegaron a vender hasta en dos mil dólares, y así la flor y nata de nuestra sociedad se dio cita para ver el llamado «*Match* del siglo».

El hosco soviético tuvo el honor de comenzar el encuentro, y en tan solo dieciséis limpios, impecables y rápidos movimientos, Capanegra vio caer al rey enemigo como fulminado por un rayo para alzarse con el título de campeón del mundo.

Los que tanto habían pagado, a pesar de aplaudir como locos, se sintieron un poco desilusionados por la brevedad del encuentro tan anhelado y publicitado, y comenzaron a gritar a coro el nombre del Supremo Conductor Nacional, sabedores de su afición al juego y a los reflectores.

«¡CervantesCervantesCervantesCervantes!»

Este se levantó de su asiento de piel en primera fila y fue hasta la mesa de juego mirando altivamente hacia el frente. Abrazó a los dos contendientes, le dio al cubano la enorme copa plateada que atestiguaba su triunfo y luego, con un gesto de mano, invitó a Capanegra a una partida. «Amistosa, campeón», dijo en voz alta, misma voz que fue rápidamente ahogada por los aplausos y aullidos de la multitud mientras el ruso salía cabizbajo del lugar por una de las puertas laterales.

Todo el mundo, o por lo menos todos los que son arcadianos, sabe el desenlace. Lo que no saben es que Odonojú, el infalible secretario, se había acercado al ajedrecista cubano por la espalda mientras levantaba en ristre la copa y le había dicho algo al oído: algo que no fue, por supuesto, «Felicidades».

El nuevo campeón del mundo se portó frente a un inexperto e ingenuo aprendiz de ajedrecista como deben portarse los que se enfrentan a Dios: de rodillas al momento de rendirle cuentas de sus actos sobre la tierra, llenos de pecados.

Jugó temeroso, vacilando ante cada movimiento, incluso sudando a pesar de los enormes abanicos de mimbre que batían el aire a ráfagas por sobre sus cabezas.

Y perdió.

Al instante de avanzar su caballo hacia la casilla que le daría el triunfo definitivo, Cervantes debió darse cuenta de lo absurdo de la situación y del momento, y con el brazo izquierdo barrió las piezas que cayeron estrepitosamente sobre el suelo. Una expresión de inmenso alivio se dibujó en el rostro del cubano. El Supremo Conductor Nacional se levantó del asiento y le ofreció la mano al ajedrecista: un fuerte apretón selló una amistad que se afianzaría a través de los años. Cervantes tomó el micrófono y dijo a la azorada multitud:

—Dije amistosa, damas y caballeros, aquí el único campeón del mundo es Capanegra, nuestro campeón anticomunista. Un aplauso, por favor.

Y cientos de manos al unísono se batieron ante la magnificencia del líder.

Dos días después José Raúl Capanegra, con un humeante «Balzac» número nueve en la boca, abandonaría la isla en su yate nuevo de veintiséis pies, de un blanco inmaculado, con bandera panameña y bautizado como *Chess King* en sólidos y azules caracteres pintados en la popa.

Nadie reparó en que había llegado en avión unos días antes. Y tampoco importaba demasiado.

25

—Toma —dije mientras ponía en las manos de Helena la bolsa de yute repleta de soberanos de oro. Se iba a ir una semana a Miami con sus padres, de vacaciones, y me pareció el mejor momento para salvar en la medida de lo posible el futuro, ya que la dignidad la había perdido para siempre.

Me miró a los ojos, extrañada.

—Abre por favor una cuenta a tu nombre en el banco que te plazca.

Abrió la bolsa y después también los ojos, desmesuradamente; el brillo del oro refleja más que cualquier otra cosa en el mundo. Me la devolvió como si lo que tuviera en las manos no fuera una fortuna, y sí en cambio una maldición.

—Prefiero no hacerlo —exclamó suavemente.

Empujé de nuevo la bolsa entre sus manos. En el bungaló, alguna de las sirvientas había puesto el aire acondicionado a la máxima potencia; Helena temblaba dentro de su vestido de verano amarillo, por lo que nos pasamos a la terraza interior, así evitábamos ojos y oídos ajenos.

—Este barco está naufragando, mi amor; te lo pido por favor —era la primera vez que la llamaba «mi amor» después de más de un año de relación, incluso ya me había invitado a pasar un fin de semana en la finca cafetalera de sus padres, allí bajo nuestra única montaña de proporciones respetables. Fueron amables y condescendientes, hablaron de comedias musicales de Broadway que yo jamás veré y tomamos cocteles de champaña y bocadillos de salmón ahumado. Probamos variedades nuevas de café, y su padre me enseñó a catarlos como un verdadero profesional, con chasquido de lengua y todo. Hasta abrió una botella de Petrus 1925 para la cena, haciendo tácito un compromiso que ni su hija ni yo habíamos tan siquiera comentado.

La madre, llamada también Helena, me llenó de mimos y me regaló una playera inglesa con un ancla bordada. Incluso en la piscina estrené un traje de baño nuevo, rojo. He perdido incluso el recato, ¡Dios!

Creo que ella también está enamorada, o eso parece. En las recepciones de Palacio e incluso en los paseos por el malecón, o cuando ocasionalmente íbamos al cine, nos tomábamos de la mano como dos perfectos adolescentes. Nos reíamos de los mismos chistes y leíamos al mismo tiempo el libro de moda. En algún momento le conté que yo era el astrólogo del rey: ella entornó los ojos, sonrió pícaramente y me dijo que ya lo suponía. La demostración mayor de sus sentimientos hacia mí tal vez sea el hecho de que nunca me ha pedido que le diga su horóscopo; como arcadiana de buena cuna y modales nobles, sabe bien que no hay que mezclar jamás el placer con el trabajo.

—Si abro una cuenta, será a tu nombre —acabó cediendo.

—No, no, por favor, no quiero que nadie lo sepa. Guárdalo como un secreto entre nosotros. Que sea una especie de seguro de vida, para comenzar de nuevo, lejos de aquí —dije, y mientras lo decía sonaba como personaje de una de esas telenovelas mexicanas que todas las noches paralizan a Arcadia. «Carlos Augusto» debía llamarme y no «Timoteo», ¡coño!

Guardó la bolsa en su propia bolsa y salimos del bungaló, al sol inclemente de las dos de la tarde. A las cinco salía su vuelo; teníamos dos horas escasas para llegar hasta el centro y tomar un helado. Nunca hicimos el amor en mis habitaciones. No le dije el porqué, pero me negaba rotundamente, en silencio, a que cualquier sargento de los servicios de seguridad escuchara nuestros jadeos y en una de esas hasta se masturbara lúbricamente. ¡En qué estoy pensando!

Hoy por hoy los labios de Helena son mi casa, su piel mi fortaleza, sus pechos mi castillo. Ella es mi refugio, lo único que tengo. De golpe y porrazo, a pesar de esos ridículos pavorreales que se paseaban por el jardín, tuve una certeza: la inminente, urgente, impostergable necesidad de contarle la verdad. Si no era en ese momento no sería nunca. La tomé de la mano, como toman los amantes la mano de la pareja en el momento de las confesiones en el cine.

—Helena. No soy astrólogo. Soy un periodista de tercera que acabó metido en este lío por cobarde, por ambicioso, por imbécil.

No se sorprendió, o no pareció sorprendida ni hizo un aspaviento siquiera; a cambio, me miró dulcemente, como si fuera un niño que robara una bolsa de dulces en una fiesta a la que no había sido invitado. Sentí un ramalazo de calor, un faisán voló de una rama hacia otra, más lejana. Estaba poniendo mi secreto y mi vida en sus manos.

—Lo sé —dijo entonces, unos segundos después que a mí me parecieron infinitos.

—¿Cómo? —exclamé con la boca completamente seca.

—Porque en Arcadia nada es lo que parece. Nunca. Y no ibas a ser tú la excepción —me atrajo lentamente hasta unas sillas blancas de ratán donde nos sentamos al amparo de un frondoso mango y me contó una historia que, como otras historias arcadianas, preferiría no haber escuchado nunca.

A los dieciséis años sus padres la habían mandado a estudiar a una escuela de monjas en Tampa, Florida, el equivalente al *high school*, para que aprendiera inglés y a comportarse «como una señorita de clase», o por lo menos eso le dijeron. De allí escapó a las tres semanas escasas con un muchacho que siempre se vestía de negro, manejaba una motocicleta Triumph y podía decir de memoria poemas de William Blake en inglés y de César Vallejo en español. Llegaron juntos hasta San Francisco recorriendo el país entero, conociendo comunas *hippies* y *ashrams* donde se meditaba, se comía arroz blanco cocido y se hacía el amor libremente en los pasillos. Allí los encontraron los amigos de su padre, los amigos del Supremo Conductor Nacional.

Nunca volvió a verlo, no sabe siquiera si está vivo. La metieron en un tren y luego en un barco, siempre vigilada por una enfermera que hablaba alemán y que de tanto en tanto le inyectaba en el brazo un tranquilizante que la dejaba en un estado de sopor permanente, sin voluntad. Volvió a «casa». Y en «casa» pasó tres años encerrada en una habitación, llorando hasta que quedó seca por completo. No, no los ha perdonado. Lo aparenta. La escolta que iba con ella a todas partes, como una segunda piel, le fue retirada hace tan solo un par de años. Es una estudiante modelo que va a cocteles y conciertos, que habla idiomas y compra su ropa por catálogo en las mejores *boutiques* neoyorquinas, que juega tenis y puede hablar de economía y de política con soltura y con conocimiento de causa mientras sus padres buscan desesperadamente un buen muchacho, digno y decente para casarla. Y parece que fue cuando aparecí en escena. Piensan que puedo ser yo; me sonrío cuando lo cuenta. No tienen idea de que soy un bastardo que trabaja de astrólogo sin tener la más mínima idea de con qué se come eso. Puedo escribir decentemente, es cierto, y mentir como el más hábil embustero de la Tierra, pero es solo para permanecer con vida; si supieran...

Pero faltaba lo mejor.

Helena entró a la universidad, la mejor del Caribe, y allí fue reclutada por el Frente Arcadiano de Liberación Nacional en secreto. Lleva más de un año haciendo encargos pequeños: dejar una carta en un basurero, cambiar dinero de una cuenta a otra, sacar un libro de la Biblioteca Nacional y colocarlo en la banca de un parque, cosas que solo ellos entienden y que no levantan sospechas, pero que de algo deben servir.

—No, no es por venganza, es porque estoy convencida. Arcadia tiene que ser libre.

—Pero es muy peligroso, te pueden matar en cualquier momento —le reclamé, poniendo una mano sobre su pierna perfecta y apretando quedamente.

—Ya me mataron una vez. Me da lo mismo.

Entonces la vi por primera vez: de verdad. Lo que vi fue la flama de la revolución dentro de esos ojos verdes que sacaban chispas, y me puse a temblar una vez más.

—Quieren que hagas algo para ellos. Para Arcadia. Yo también lo quiero —dijo entonces resuelta, como si fuera una orden más que una sugerencia, bajando la voz y tomándome la mano que temblaba incontrolable sobre su pierna.

—¿Yo? ¿Qué puedo hacer yo si no soy más que un esclavo de mierda? Hasta hace unos segundos creía que la guerrilla era un mito —mientras lo decía, veía venir una nube negra, trepidante y enérgica hacia nuestras cabezas, avanzando por el cielo azul inmaculado como una certera señal del Apocalipsis.

—Queremos que escribas el horóscopo final del dictador.

♏

El maestro relojero Franz Adelmann-Jaeger había visto entrar a todo tipo de personajes estrafalarios en su oficina de la rue Gourgas, muy cerca del Centro de Arte Contemporáneo de Ginebra. Reconocido mundialmente por la perfección y belleza de sus diseños únicos, estaba acostumbrado a las excentricidades de sus muy ricos clientes, y siempre los complacía a cambio de enormes sumas de dinero.

«No hay relojes imposibles», decía a propios y extraños, haciendo de la frase su blasón y promesa inherente de satisfacción garantizada. El taller familiar, fundado en 1891, había recibido desde entonces más de quince premios del Observatorio de Neuchatel por la precisión cronométrica de sus diseños y año tras año su puesto en la Exposición Nacional de Zúrich es uno de los más concurridos y aplaudidos.

Oro, platino, zafiros, diamantes, granates, esmeraldas brasileñas, titanio y otros metales y piedras preciosas son celosamente guardados en una caja fuerte especial del Banco Central Suizo y transportados en medio de la noche en un camión blindado hasta el taller bajo fuertes medidas de seguridad cuando el maestro los solicita para realizar algunos de sus diseños.

Los relojes Adelmann-Jaeger no pueden comprarse en una tienda: son sobre pedido e irrepetibles. Cuando un nuevo artefacto es creado, los planos que fueron utilizados para su fabricación son destruidos frente a un notario público y *arrojados a un horno los moldes con los que se construyeron los pequeñísimos engranes y mecanismos.*

Tal vez uno de los momentos de mayor gloria del taller fue en 1954 con la creación del famoso reloj Adelmann Liebe, extraplano, con mecanismo de sesenta rubíes y el extraordinario calibre HSF 56, montado sobre una placa de oro blanco, lo que supuso una innovación espectacular. Nadie sabe hoy por hoy quién es el dueño de tal maravilla, única en el mundo.

Franz, heredero de la sabiduría y técnica de su padre y de su abuelo, recordaba siempre con especial cariño aquel reloj de pulsera que había creado para el Sha de Irán, con un halcón del desierto grabado en su carátula, realizado con una aleación de platino y sílice monocristalino ucraniano, uno de los más extraños metales que existen sobre la faz de la tierra.

Y por supuesto ese otro, el Apolo, hecho para uno de los astronautas que habían pisado la Luna y que contenía en su interior, dentro de una microcápsula y sin que interfiriera con el mecanismo de titanio, un poco de polvo de nuestro satélite natural.

Pero ahora mismo, sentado en su escritorio, frente al enorme caballero enfundado en un traje azul cobalto que le mostraba un plano, no podía menos que sentirse sorprendido y tal vez un poco halagado por la insólita petición.

—La carátula llevará en su circunferencia ciento veinte diamantes rosas miniatura. La carcasa y pulsera serán de oro de veinticuatro quilates. Todas las piezas interiores deben ser creadas con rodio, y las manecillas y el dial, de platino. Ahí puede ver el diseño —dijo el personaje en un francés impecable mientras sacaba de un portafolio y ponía sobre la mesa un par de lingotes de oro de un kilo cada uno, una bolsita de terciopelo con doscientos diamantes, una barra de rodio, el metal más raro del mundo, y un lingote más pequeño, de cincuenta onzas, del platino más puro que se pueda encontrar sobre la faz de la Tierra.

El precio aproximado de lo que el maestro relojero tenía en ese momento sobre la mesa era superior al millón de dólares, sin duda. Comenzó a estremecerse. Afuera, el diciembre ginebrino le regalaba unos bonitos diecinueve grados bajo cero, pero dentro del taller la temperatura subía. No necesitaría ni la tercera parte de los materiales que tenía frente a sus ojos, sobrarían ochenta diamantes, mucho más de un lingote de oro, casi el platino completo y por lo menos la mitad del rodio. Una fortuna.

Como si adivinara su pensamiento, el alto personaje le dijo:

—Por supuesto, todo lo que sobre es suyo, amén de sus honorarios.

Cuando estuvo solo, después de esa visita inesperada que se fue a los escasos quince minutos de haber llegado, sin un recibo por todo lo que había dejado en su mesa y con la promesa de tener listo el reloj en tres meses, observó el diseño de la carátula que le dejó.

No tendría números, solo cuatro emblemas en sus cuatro puntos cardinales. Arriba, donde habitualmente iría el doce, una letra «A» estilizada. A la derecha, este símbolo 🌀 en lugar del número tres. Donde aparecería el seis, a cambio, un dibujo que reconoció inmediatamente, el signo de Escorpión ♏ ; lo había visto en el periódico, en los horóscopos. Y por último, una estrella de cinco puntas invertida a línea. Todo indicaba que el poseedor del reloj sería algún creyente de un culto hermético. No era la primera vez que recibía encargos de ese tipo, pero él, observando celosamente la tradición de la ancestral secrecía suiza, no tenía por qué decir ni una palabra, no era su problema lo que creyeran los demás.

Lo más sorprendente, lo que le dejó atónito fue el pedido final que hizo el enorme caballero casi desde la puerta de salida del despacho.

—Ah, casi lo olvido: las manecillas deben correr al revés, en el sentido inverso al normal. No es un problema, ¿verdad? —Sonrió.

A los tres meses exactos, la pieza fue entregada dentro de una caja de marfil.

Franz Adelmann-Jaeger cobró quinientos mil dólares en efectivo por su trabajo, además del material sobrante, y los planos y moldes fueron destruidos religiosamente. Ni siquiera le sacó al reloj, como lo hacía por lo general, una fotografía por petición expresa del comprador. Hizo por cuenta propia algunas mejoras al diseño: el mainspring *o fuente de energía responsable de accionar el movimiento no llevaba batería de ningún tipo, con solo el movimiento normal de la muñeca del usuario, la energía potencial se almacena en el muelle en espiral, desde donde se lanza al tren de engranaje, que transmite la fuerza al trabajo de la fuga y el movimiento que da vuelta a las manecillas, que por supuesto giraban al revés. Utilizó cristal de zafiro pulido para cubrir la carátula, evitando con ello cualquier posible fulgor, y estampó su emblema en la parte posterior, junto a un pequeñísimo símbolo del «Punzón de Ginebra», con lo cual se demostraba que cumplía con todas las especificaciones de los maestros relojeros suizos. Estaba muy orgulloso de su trabajo.*

Ese reloj, bellísimo y perfecto, se balanceaba desde entonces en la muñeca del Supremo Conductor Nacional. Y cada vez que lo veía, sabía que su norte era esa «A» diminuta, Arcadia. Por lo demás, estaba protegido para siempre: el «trisquel», la estrella de su maestro Satán, su signo del Zodiaco. Ya era inmortal, el tiempo iba hacia atrás.

Un Adelmann-Jaeger nunca se equivoca.

26

He descubierto al fin cómo funciona el tema de los horóscopos: uno escribe algunas vaguedades, apela a ciertos lugares comunes, lo adereza con dichos populares y espera pacientemente a que el que lo lea se lo tome en serio y lo dé por un hecho consumado. Es mucho más sencillo si tienes la certeza de que el que lo lee cree en ellos como en las tablas de la ley y seguirá sus designios.

Así, por ejemplo, palabras clave como *cuidado, evitar, esplendor, maravilloso, atreverse y hacer*, guían los pasos y el día del lector y este hará todo lo que esté en sus manos para que la ambigüedad de lo escrito se convierta en un hecho consumado.

Hice la prueba.

«Hoy es un día para guarecerse en casa. Venus y Saturno harán de esta una jornada difícil. No conviene firmar nada que lo comprometa innecesariamente. El agua es el elemento sanador por excelencia. Mañana será otro día, espere con paciencia para la toma de decisiones.»

Cuando estuve frente al Supremo Conductor Nacional esa mañana, se lo dije todo lo seriamente que pude, como un consumado actor de teatro inglés. Hizo un gesto de disgusto con los labios y esta vez no me palmeó la espalda como era su costumbre. Se dio la media vuelta y se dirigió a paso veloz hacia Palacio. Me senté en una de las bancas de hierro colado del jardín esperando lo peor, pero no pasó nada.

Supe después, por la oficina de protocolo, que el hombre había cancelado todas sus citas de ese día, incluso un almuerzo programado con mucha anterioridad con el embajador francés en la isla. No salió de sus habitaciones. Y por una confidencia de una de las mucamas de servicio, me enteré de que cambiaron las toallas de su baño privado siete veces durante el día.

Así que funcionaba. El pobre tipo, ese al que todos temen si tan solo los mira, había pasado el día entero en la regadera, protegiéndose de la malévola conjunción de Venus y Saturno.

Lo tenía en mis manos. Pero él me tenía en las suyas y yo podía convertirme en polvo en el momento menos pensado, así que más me valía andarme con cuidado.

Hay un nuevo brote de rebelión en Cundunay, al sur de Arcadia. Un grupo grande de mineros se ha puesto en huelga contra sus patrones ingleses que no pagan los salarios mínimos ni respetan la jornada laboral de cincuenta horas. La Guardia Nacional ha tenido que intervenir para reabrir las minas; el saldo es de veinte trabajadores masacrados en la oscuridad y luego enterrados sus cuerpos en una salina lejana. Pero no ha salido nada en los periódicos. El ministerio de Información se ha refocilado, en cambio, con la rimbombante apertura de un nuevo *resort* de lujo en la playa de Bucaneros y eso es lo que ha ocupado las ocho columnas del diario y los espacios radiales y televisivos. Esos mineros no serán recordados por nadie, a no ser que las cosas cambien. Vivimos sobre una inmensa tumba y no nos damos cuenta.

Ha vuelto Helena de su viaje a Miami. Quiso entregarme la libreta donde había depositado el dinero conseguido con la venta de los soberanos; me negué, prefiero que ella la guarde. Ese dinero puede quemar, exactamente igual que un tizón ardiendo sobre las manos desnudas.

En algún momento, mientras caminábamos rumbo a uno de los barecitos que hay en el muelle y que se han puesto de moda, me dijo suavemente, como si hablara del sol o de las olas o de un vestido verde que colgaba de una vitrina:

—La semana que viene, el martes. Que salga de Palacio.

No tuve que preguntar más. Por primera vez en mi vida, sé exactamente lo que tengo que hacer. Lo que debo hacer.

Apuntes para contar una isla

Los años sesenta y setenta fueron marcados por la expansión inmobiliaria que se vio reflejada en las docenas de edificios enormes y radiantes a lo largo del nuevo malecón, hacia el este; departamentos con todos los lujos y comodidades que albergarían desde entonces a cientos de jubilados estadounidenses que llegaron hasta la isla a pasar los últimos días de su vida frente al mar turquesa y las palmeras borrachas de sol, auxiliados por las eficientes enfermeras arcadianas que, amén de su prolijidad en el trato, tenían todas grupas fantásticas y risa fácil y contagiosa.

El gobierno del Supremo Conductor Nacional, por medio de su Instituto de Vivienda, hizo un trato inigualable: cada ciudadano estadounidense que comprara un departamento tendría que pagar solamente un diez por ciento del valor total del mismo por concepto de impuestos, y no el habitual del treinta o treinta y cinco por ciento. Ese dinero, íntegro, acabó en una cuenta en las Islas Caimán a nombre del Jefe, quien recibía con los brazos abiertos a los viejitos gringos mientras recogía mes a mes sumas fantásticas que lo hacían poco a poco uno de los hombres más ricos de América.

Entre los nuevos inmigrantes llegaron varios veteranos de la guerra de Corea que ocuparon un edificio completo, la torre Chromite, llamada así por el nombre clave de la operación que culminó con la batalla de Incheon, entre el 15 y el

19 de septiembre de 1950, en el actual territorio de Corea del Sur, lugar donde las tropas yanquis capturaron a casi seis mil norcoreanos, marcando así el principio del fin del conflicto.

Estos veteranos no vinieron solos, trajeron consigo sus cheques mensuales de la Marina, el Ejército, la Fuerza Aérea, que transformados en caribes arcadianos al cambio de catorce por uno, les permitieron vivir a todo trapo, beber y comer como locos y comprarse a las chicas o chicos que quisieran para vivir las más desenfrenadas fantasías.

Y con ellos llegaron también las drogas.

Marihuana, cocaína y heroína se hicieron presentes por primera vez en el territorio nacional. Antes, si acaso, algunos viejos consumían tranquilamente el opio que le compraban a marineros soviéticos que lo traían de contrabando desde el lejanísimo Afganistán, y lo fumaban en las trastiendas de sus establecimientos del barrio chino, sin hacer escándalo y cuidándose muy bien de no ser vistos por sus nietos o por la policía, conservando su honor intacto, y sus sueños a buen recaudo de miradas indiscretas.

Pero el pudor y los yanquis no parecían ser compatibles. Fumaban, esnifaban y se inyectaban en la playa, bajo la torre donde vivían, y algunos salían de la zona y deambulaban fuera de control por la carretera con la mirada extraviada. Más de uno fue despanzurrado por un autobús de la ruta siete al encontrarlos de frente saliendo de la curva. Y entonces se realizaban solemnes entierros en el recientemente inaugurado Cementerio Americano, se disparaban salvas al aire y se cubrían los féretros con la bandera de las barras y las estrellas, luego todos se iban a beber y a fumar a la terraza del Chromite para recordar lo bueno, lo valiente, lo simpático que había sido el difunto.

Los «gringos locos», como todo el pueblo llano los llamaba, componían una comunidad ecléctica y ruidosa. Cada vez que se acercaba el Veteran Day, en noviembre, las tiendas de las cercanías se surtían con decenas de cajas de cerveza, ron añejo y puros arcadianos, amén de cerdos, chivos, borregos y conejos para cubrir las necesidades de esa tribu pantagruélica que arrasaba con todo.

John S. Cassidy III, nativo de Maryland, se había retirado del Ejército en 1966 con el grado de capitán, dos corazones púrpuras y una medalla de plata al valor, entregada por el Congreso estadounidense, que lucía una vez al año sobre el pecho. De sus pares era tal vez el más discreto, jamás nadie podría decir que lo vieron haciendo un desfiguro en público. Bebía moderadamente y a las nueve en punto de la noche se retiraba cabizbajo hasta su departamento de la torre, el 10100, el más alto de todos, aquel al que solo cubría el cielo raso y luego el cielo azul. Desde allí podía verse la playa, la carretera, el faro, pero nunca tuvo visitas, ni femeninas ni de compañeros de armas que pudieran corroborar lo magnífico de la vista. Dicen que en algún momento se volvió vegetariano, que hacía ejercicio todas las mañanas y realizaba figuras imposibles con su cuerpo sobre un tapete hecho con fibra de coco y siempre viendo hacia el mar; saludaba con un movimiento de cabeza y jamás tomaba droga alguna. Todos respetaban al capitán Cassidy, e incluso algunos le temían sin razón aparente y se quitaban de su paso cuando corría por el malecón con la vista al frente y empapando con su sudor la camiseta verde olivo, recuerdo de su paso por Corea.

La noche del 24 de diciembre de 1974, mientras los «gringos locos» realizaban en la enorme terraza un *luau* con cerdos asados y corrían litros de alcohol y se fumaban otras hierbas, Cassidy apareció por ahí vestido de Santa Claus con un enorme saco del que fue sacando regalos primorosamente envueltos y dándolos a todos los presentes mientras se reía como dicen que lo hace el gordo personaje vestido de rojo cuando aborda su trineo.

La sorpresa se fue instalando en los rostros, que no atinaban a responder nada ante la inmensa generosidad del capitán. Cuando el saco estuvo vacío, Cassidy volvió al edificio y tomó el elevador hasta su piso.

Tomó una ametralladora Thompson M1A1 y disparó nueve cargadores completos, desde su ventana, contra la fiesta que se hacía diez pisos más abajo.

Veintiún muertos, cuarenta y cuatro heridos y dos cerdos enormes chamuscados fue lo que quedó sobre la terraza.

Al finalizar la masacre, se puso en la sien su pistola escuadra .45 de cargo y se descerrajó un tiro.

Nadie volvió nunca a habitar el Chromite.

Hoy es un cascarón de cemento y aluminio donde solo se atreven a entrar algunos niños de la calle que inhalan pegamento, y las gaviotas.

27

El regimiento destacado en Cujay, al noroeste, con todo y sus muros enormes y sus almenas artilladas, ha sido capturado por los nuevos insurgentes del FALN sin disparar un solo tiro. Entró una columna guerrillera en la madrugada, sometió a las guardias y luego a todos los que dormían en el recinto en calzoncillos, se llevó completo el arsenal que había y se fueron tan campantes silbando hacia el amanecer.

Y con ellos, varios de los militares que temieron lo peor cuando la noticia se supiera en la capital. El Supremo Conductor Nacional ha enviado un nuevo regimiento armado a la zona, llamando al evento «despliegue táctico», y se ha reunido con su gabinete de seguridad a puerta cerrada. Sé también que han ocurrido dos explosiones en bancos de la capital, a los que el ministerio de Información ha denominado oficialmente «averías de transformadores», y una parte de la Universidad de Arcadia se ha declarado en huelga permanente; por lo menos las facultades de Ciencias Políticas y Economía. La policía las ha cercado y no se puede entrar ni salir de allí a menos que tengas un salvoconducto firmado y sellado.

El caso es que el país se resquebraja a ojos vistas y sin embargo la vida continúa, aparentemente, como si nada. Hay cines, los niños van a la escuela, vino la noche del sábado el Rey del Merengue a dar un concierto en el estadio de beisbol, hay bailes, los enamorados se hacen arrumacos en las bancas del malecón, los viejos beben ron, los marineros descargan de los barcos sedas chinas falsas.

Mañana es el día en que tengo que dar el horóscopo final. He revisado la agenda del Jefe y sé que tiene que ir a inaugurar una plataforma petrolera en Cifuentes, a unos cincuenta kilómetros de aquí. El acto será al aire libre, con el mar y la plataforma de fondo. Creo que no quiero saber nada más: tengo que hacer que vaya y punto. Y que pase lo que tenga que pasar.

Estoy aterrorizado. Lo pienso y cada vez que lo pienso siento que estoy a punto de que me dé un ataque de diarrea fulminante. Luego me tranquilizo y sé que no seré yo, ni lo que diga, lo que marque el destino del hombre.

Ese está desde hace mucho tiempo escrito en las estrellas.

♏

El *Supremo Conductor Nacional ha soñado con serpientes. Las tenía a sus pies y se le enroscaban en los tobillos. No tenía miedo.*

Sabe que con un pisotón puede matarlas.

Rastreras alimañas idénticas a todos los que están a su alrededor y que le mienten constantemente. Ya llegará el día de ajustarles las cuentas.

Al despertar, lo primero que hace es tocar la bolsita que contiene los cojones secos, como dos uvas pasas, de Saco de Veneno y que siempre tiene en la mesita de noche.

«Ese sí que era un hombre. Aunque fuera pequeño», piensa.

Se levanta y se santigua al revés, de abajo arriba y de izquierda a derecha, como le enseñó su maestro.

La isla es suya, los que habitan la isla son suyos.

—Ténganme miedo —dice en voz alta antes de entrar al baño.

Nadie contesta. Está solo en su cuarto circular.

28

El hombre me escucha atentamente en los jardines. Un papagayo de cola larga pasa sobre nosotros haciendo ruido con su frenético aleteo.

—¿Seguro, Delfos? ¿Está usted seguro? —me inquiere después de decirle que este será un día magnifico, propicio para las actividades al descubierto, que el Mercurio alado y benefactor lo protege, que el mar es un himen interminable listo para ser desflorado por su paso triunfal, y que todo saldrá mejor que bien.

—Seguro, señor —le digo con una calma inmensa, esa calma que solo puede tener el que sabe que todo está perdido.

—Soñé con serpientes —me confiesa, y miro cómo el labio superior del hombre se contrae en una pequeña mueca de disgusto. Está vestido con su uniforme de gala lleno de medallas. Parece más pequeño que nunca, como si se hubiera encogido de ayer a esta mañana soleada y sin nubes.

—De símbolos mágicos no sé mucho, presidente. Pero sí le puedo decir que hoy, de entre todos los días, es su día, el día del Escorpión.

Sonríe; me palmea la espalda. Da un taconazo, supongo que sin querer, y da media vuelta.

Veo que de entre los mangles de la esquina noroeste del jardín sale Odonojú, que a cortos y apresurados pasitos lo sigue como un perro.

Nunca los volví a ver, a ninguno de los dos. Sus cuerpos saltaron por los aires junto con algunos miembros de la escolta y el embajador de una república asiática impronunciable.

A mí los guerrilleros me encontraron escondido en una buhardilla del puerto, tapándome los oídos, harto de escuchar cañonazos por todos lados.

Les dije quién era. Lo que había hecho. De mi relación con Helena.

—La comandante Díaz-Mercado cayó heroicamente en la batalla de Mambrú, ¡hijueputa! —me dijo a bocajarro el chinito que me apuntaba directo a los ojos con una Uzi israelí.

Llevo tres años y medio metido en Ipiranga, y sé que tengo la enorme suerte de no haber sido pasado por las armas.

Una vez más, no tengo nada. Ni siquiera una cafetera francesa o un traje de baño, pero es cierto que aquí no los necesito.

Afortunadamente, el capitán de la prisión cree en los astros. Eso me ha dado algunos privilegios, como no ser azotado diariamente como lo hacen con todos los adeptos al antiguo régimen.

Todas las mañanas, después del rancho voy hasta la oficina de la dirección del penal y le digo su horóscopo inventado, pero que a él le complace. Y siempre empiezo igual mi retahíla de falacias:

Querido Escorpión…

Y así sigo vivo.